D1235421

LE SECRET DE L'ÉVENTAIL

Pour ma mère
N. S.

Traduction française © Éditions Nathan (Paris, France), 2009 pour la première édition
© Éditions Nathan (Paris, France), 2012 pour la présente édition
Loi n°49-956 du 16 juillet 1949 sur les publications destinées à la jeunesse,
modifiée par la loi n° 2011-525 du 17 mai 2011.
ISBN 978-2-09-253927-9

LE SECRET
DE L'ÉVENTAIL

Nancy Springer

Traduit de l'anglais par Rose-Marie Vassallo

Nathan

« Voilà déjà plus de huit mois que cette gamine a disparu…

– Cette gamine a un nom, mon cher Mycroft », l'interrompt Sherlock.

Il bride son agacement, en invité poli. Son frère Mycroft, hôte accompli malgré des mœurs d'ours solitaire, a attendu de voir repartir la tourte au pigeon sauce groseille avant d'aborder la déplaisante question de leur jeune sœur en fugue.

« … Elle s'appelle Enola. Et d'ailleurs, poursuit Sherlock d'un ton adouci, presque amusé, elle n'a pas disparu au sens usuel du terme. Disons plutôt qu'elle a rué dans les brancards. Pris la tangente. Et que, depuis, elle s'emploie efficacement à nous filer entre les doigts.

– Si elle ne s'employait qu'à ça ! » commente

Mycroft, et il s'étire en avant pour empoigner la carafe à vin, non sans un petit grognement d'effort dû à l'obstacle que constitue son estomac généreux.

Conscient que son aîné s'apprête à faire une déclaration solennelle, Sherlock se tait et regarde son verre se remplir de l'excellent breuvage qui met de l'agrément dans la conversation. Chacun des deux convives a dûment desserré faux col et nœud papillon.

Mycroft savoure une gorgée de vin, puis il reprend, avec cette lenteur pompeuse qui le rend si exaspérant : « Au cours des huit mois écoulés, elle a contribué activement à retrouver trois personnes signalées pour disparition et à faire mettre sous les verrous trois criminels avérés…

– Je l'avais noté, concède Sherlock. Et alors… ?

– Vous ne remarquez pas comme un inquiétant leitmotiv dans ces trois affaires ?

– Pas le moindre. Pure coïncidence. Pour le jeune marquis de Basilwether, c'est le hasard qui a placé ce garçon sur son chemin. Pour ce qui est de lady Cecily Alistair, c'est en distribuant des aumônes dans les bas quartiers, déguisée en bonne sœur, qu'elle a croisé cette jeune fille. Quant au…

– Et c'est le hasard aussi, chaque fois, qui l'a placée sur la piste des ravisseurs ? »

D'un regard appuyé, Sherlock torpille l'interruption. «... Quant au cas Watson, disais-je, s'en serait-elle seulement mêlée si je n'étais notoirement lié à John ?

– Mais vous ne savez ni pourquoi ni comment elle s'est trouvée mêlée à l'affaire ! Et vous ignorez toujours par quel biais elle est remontée jusqu'à lui.

– C'est un fait, reconnaît Sherlock. Je l'ignore. » Est-ce un heureux effet de ce remarquable porto hors d'âge ou simplement celui du temps qui passe ? Toujours est-il que songer à leur jeune sœur en rupture de ban n'éveille plus en lui ce chagrin aigu ni cette anxiété qui le rongeaient encore voilà quelques semaines. « Et ce n'est pas la première fois qu'elle me dame le pion », conclut-il avec une étrange inflexion ; à croire que, pour un peu, il serait fier d'elle.

« Hmpf ! Et à quoi l'avanceront tant d'audace et d'astuce le jour où elle sera femme, hein ?

– À peu de chose, j'imagine... Oh ! c'est bien la digne fille de notre suffragiste de mère. Malgré tout, pour le moment du moins, je ne suis plus très inquiet pour sa sécurité. À l'évidence, elle est parfaitement capable de mener sa barque seule.

– Là n'est pas la question, s'impatiente Mycroft avec un petit geste en chasse-mouche. C'est son avenir qui me préoccupe. Pas sa sécurité immédiate. Qu'en sera-t-il dans quelques années ? Quel gentleman digne de ce nom souhaitera prendre pour épouse une jeune fille aussi indépendante ? Et attirée, qui plus est, par les bas-fonds du crime ?

– Elle n'a pas quinze ans, Mycroft, rappelle Sherlock d'un ton patient. Quand lui viendra l'âge de se faire courtiser, je doute qu'elle camoufle encore une dague sous son corset. »

Les sourcils broussailleux de l'aîné prennent leur vol. « Ah ! parce que vous croyez qu'alors elle daignera se conformer aux usages de la société ? Vous le croyez, *vous* ? Qui avez obstinément refusé de suivre la voie des études classiques pour créer votre propre spécialité ? »

D'un geste léger, le premier détective privé conseil au monde – et le seul à ce jour – écarte l'objection. « Elle appartient au beau sexe, mon cher Mycroft, faut-il vous le rappeler ? Les lois de la biologie lui commanderont de faire un nid et de procréer. Attendez seulement que surviennent les premières manifestations de la fémi…

– Billevesées ! » L'aîné se redresse comme un coq. « Si vous croyez que notre sœur, têtue comme elle l'est, acceptera de plier pour se mettre en quête d'un mari !

– Et que voulez-vous qu'elle fasse ? » rétorque le cadet, qui n'a pas coutume d'entendre ses dires se faire traiter de sornettes. « Qu'elle se lance dans une carrière de recherche des disparus et d'arrestation de malfrats ?

– Je n'exclus rien.

– Quoi ? Vous la verriez s'établir dans le métier ? Me faire concurrence ? » Sous l'irritation, l'humour pointe.

« Elle en serait bien capable.

– Eh ! faites-lui donc fumer le cigare, tant que vous y êtes ! » Sherlock rit de bon cœur à présent. « Ma parole, vous oubliez que notre jeune sœur n'est qu'une enfant. Égarée, certes, mais une enfant. Croyez-moi, vous lui prêtez dix fois trop de suite dans les idées. Vous extravaguez, mon cher Mycroft, vous extravaguez. »

CHAPITRE I

Jusqu'alors, les premiers clients du « Dr Ragostin, Spécialiste en recherches – Toutes disparitions » se comptaient au nombre de trois : une veuve âgée, fort plantureuse, pleurant son bichon adoré ; une douairière affolée de ne plus pouvoir mettre la main sur le précieux rubis qu'elle tenait de son défunt mari ; et un général d'armée dont le plus cher souvenir de la guerre de Crimée manquait à l'appel : son tibia criblé de balles, dûment paraphé par le médecin militaire qui l'en avait jadis amputé sur le champ de bataille. Autrement dit, des broutilles. J'aurais mieux fait, mille fois mieux fait de me concentrer sur une entreprise d'une autre envergure : rechercher ma mère. Je la savais en compagnie de bohémiens, pardon, de « gens du voyage » comme elle disait, et sans doute à nouveau sur les routes, la belle saison revenue. Je m'étais promis qu'au retour du printemps je m'efforcerais de la localiser. Non pour lui adresser des reproches ni pour l'obliger à quoi que ce fût, simplement pour…

pour retrouver moi-même un membre amputé, si j'ose dire.

Malgré quoi, on était en mai et je n'avais toujours rien engagé en ce sens, sans d'ailleurs pouvoir spécifier pourquoi – n'était que mes « affaires » me retenaient à Londres.

Affaires, vraiment ? Un toutou, une babiole et un tibia ?

Mais un client était un client, raisonnais-je. Aucun d'eux, et pour cause, n'avait rencontré en personne l'illustre (et fictif) Dr Ragostin. C'était « miss Meshle », sa fidèle assistante, qui avait rendu à la veuve éplorée son adorable bichon frisé, récupéré au bout de trois jours chez un commerçant véreux de Whitechapel, connu pour son négoce de chiens de race « recueillis errants ». La même miss Meshle avait résolu en un tournemain l'énigme du rubis introuvable, en envoyant un gamin jeter un coup d'œil au creux d'un nid d'une pie, à la cime d'un tilleul, non loin des fenêtres de la douairière. (Quel plaisir c'eût été pour moi de grimper là-haut moi-même ! Mais les convenances l'interdisaient.) Quant au précieux tibia du général d'armée, j'étais plus ou moins sur sa piste… lorsque le hasard me plaça sur une affaire plus palpitante et, l'avenir devait le démontrer, nettement plus brûlante.

Je suis un peu gênée de le préciser, mais tout commença dans un édifice confidentiel alors inauguré depuis peu sur un trottoir d'Oxford Street. Vivement apprécié de toute la gent féminine fréquentant les boutiques de ce quartier huppé, c'était une commodité dont on ne parlait qu'à mots couverts, et jamais devant les messieurs : les premières toilettes publiques pour dames de Londres.

Accéder à cette superbe innovation – reconnaissance implicite que les dames bien nées ne passaient plus leurs journées à trois pas de leurs propres cabinets d'aisance – vous délestait d'un penny, mais c'était un penny bien placé, même s'il faut admettre que cette somme aurait pu assurer toute une journée de pain, de lait et d'éducation à un enfant des quartiers pauvres. Ce montant, bien que modique, réservait l'établissement aux représentantes des classes aisées, sans pour autant en interdire la fréquentation occasionnelle à des employées de bureau telles qu'Ivy Meshle, avec sa frange de fausses bouclettes et ses fanfreluches bon marché.

Ce jour-là, cependant, ce n'est pas sous les traits de cette demoiselle un brin vulgaire que j'étais de sortie. Non, mes affaires m'ayant attirée du côté du British Museum (où mes aînés rôdaient parfois, hélas pour moi), je m'étais déguisée en femme savante, ma cheve-lure très quelconque remontée en chignon très quel-conque, et mon visage mince et pâlot dissimulé derrière un pince-nez à monture d'ivoire. Outre qu'il semblait réduire un peu l'alarmante longueur de mon appen-dice nasal, ce pince-nez présentait l'avantage de me rendre plus quelconque encore : aucune jolie femme n'eût accepté d'être vue avec pareil accessoire sur le nez. Vêtue d'une longue robe de serge sombre d'irré-prochable qualité mais rébarbative à souhait, et coiffée d'un chapeau non moins rébarbatif, je m'accordais une petite pause dans le vestibule de l'endroit, tout en faux marbre et vrai cuir sombre, réconfortée par l'idée qu'en ce lieu, au moins, mes aînés ne risquaient pas de surgir.

La journée, à ce stade, avait été éprouvante : les intellectuelles – les « bas-bleus », comme on les nom-mait sans grande indulgence – n'étaient bien vues de personne, et surtout pas de la population masculine de Londres. Mais là, au moins, j'étais assurée d'avoir la paix et je me sentais même quasi invisible. Car il était courant, de la part des usagères du lieu, de s'attarder un instant dans la fraîcheur de ce vestibule avant de retourner courir les magasins et respirer la poussière de la rue.

La sonnette tinta. L'employée à petit tablier blanc

s'empressa d'aller ouvrir et trois dames me frôlèrent au passage, car j'occupais la banquette – étroite mais capitonnée – la plus proche de l'entrée. Bien entendu, je ne levai pas le nez de mon journal, et ne leur aurais pas accordé d'intérêt, n'eût été que d'emblée, à la seconde même de leur arrivée, je perçus quelque chose d'anormal. Une sorte de tension entre elles.

Sur leur passage, pas un mot, pas un son, hormis un bruissement de jupons. Intriguée, sans relever la tête – leur jeter ne fût-ce qu'un regard eût été inconvenant –, je les épiai à la dérobée à travers mes cils baissés.

Il n'y avait à voir que des dos, bien sûr : deux d'entre eux fort imposants et plus que richement vêtus, avec un beau volume de jupe balayant le sol en majesté ; entre les deux, un troisième, menu, avec jupe jaune citron et à la dernière mode de Paris – c'était même le premier exemplaire que je voyais « en vrai », j'entends par là autrement que sur un mannequin dans la vitrine d'un magasin. D'énormes rubans de satin se pavanaient à l'arrière, gonflant à plaisir la chute de reins, mais la jupe elle-même, bouffante sur les hanches, se resserrait curieusement sous les genoux, sans doute grâce à un jeu de rubans invisibles, comme pour former une seconde taille. Après quoi, elle s'évasait de nouveau à la façon d'une cloche, l'ourlet frôlant le sol et cachant bien les pieds de celle qui la portait. Cette dernière allait à si petits pas que c'est à peine si l'étoffe frémissait, l'entrave réduisant sa foulée à un pas de canari. À la voir ainsi clopiner, je m'interrogeai : comment pouvait-on… ? Car la silhouette avait beau être frêle, trop pour répondre à l'idéal féminin du « sablier » – taille de guêpe, mais buste généreux et hanches fortes, elle était à mes yeux fort gracieuse. Cette jupe absurde, c'était comme une entrave à un daim. Certes, le bon sens n'a jamais pesé lourd face aux décrets de l'élégance – corsets et « tournures » en faisaient foi –, mais fallait-il que cette jeune personne fût une esclave de la mode pour s'imposer une tenue qui la laissait à peine mettre un pied devant l'autre !

Comme le trio approchait de la porte du saint des saints, cœur stratégique de l'endroit, la silhouette juvénile fit halte.

« Eh bien ? Avancez ! » ordonna la dame à sa droite.

Au lieu de quoi, sans mot dire, le brin de femme à jupe entravée s'assit, et pas de la plus élégante façon. Je dirais plutôt qu'elle se jeta, ou se laissa choir, sur l'un des sièges de cuir alignés contre le mur à l'autre bout du vestibule.

Alors son visage se tourna vers moi, et je faillis glapir de stupeur, car je la connaissais, mais si ! Je ne pouvais pas me tromper. Ce que nous avions traversé ensemble, elle et moi, l'étrange impression de sororité éprouvée alors, ma terreur lorsque l'étrangleur l'avait attaquée, tout était gravé en moi pour la vie. Et ce beau visage ouvert et fragile ne s'oubliait pas. C'était la fille du baronnet Alistair[1], la jeune gauchère disparue que j'avais retrouvée, et arrachée à son ravisseur : l'honorable lady Cecily, seize ans et demi ou peut-être, à présent, dix-sept ans.

Mais je ne connaissais ni l'une ni l'autre des deux femmes qui l'accompagnaient. Où donc était la mère de Cecily, la douce lady Theodora ? Quant à Cecily elle-même, quatre mois plus tôt je l'avais vue en haillons, amaigrie, aux abois, et pourtant rien n'aurait pu me préparer à la découvrir telle qu'elle était là, plus hagarde encore, les traits tirés de détresse muette. Dents serrées, le menton haut, elle défiait d'un regard de gibier traqué les deux duègnes penchées sur elle.

« Eh non ! jeune fille », déclara la plus massive – et ce ton d'autorité n'était pas celui d'un simple chaperon. Une grand-mère peut-être, ou une tante ? « Non, vous

---

1. Voir *L'Affaire lady Alistair*.

ne restez pas ici. Vous venez avec nous. » Elle saisit par un coude la jeune fille assise et sa comparse fit de même.

À ce stade, j'avais relevé la tête pour de bon, bouche entrouverte je suppose. Mais les deux femmes me tournaient le dos, toute leur attention concentrée sur l'adolescente assise.

« Vous n'avez pas le droit de me forcer », gronda lady Cecily très bas.

Elle se renfonça plus encore dans son siège, au grand dam de ses falbalas citron, et se fit toute molle, la tête dans les épaules. Dès lors, pour l'obliger à se relever, les deux femmes n'avaient d'autre choix que de la remettre sur pied de force. Ce qui n'eût pas été facile, et cependant, sans ma présence, je suis convaincue qu'elles l'auraient fait. Mais elles jetèrent un coup d'œil en arrière et s'avisèrent que j'étais là. J'avais replongé le nez dans mon journal, mais elles n'étaient point sottes.

« Fort bien, déclara la première d'un ton acide. Nous irons donc à tour de rôle.

– Allez-y, proposa l'autre. Je reste avec elle. »

La première disparut dans le cénacle des toilettes, l'autre s'assit posément sur le siège voisin et s'employa à discipliner les plis de sa jupe en pongé. À cet instant, lady Cecily releva la tête, en captif cherchant une issue – puis posa les yeux sur moi.

Et me reconnut. Elle avait beau ne m'avoir entraperçue qu'une fois, en cette nuit tragique où son ravisseur avait failli la tuer, elle me reconnut instantanément. Nos regards se croisèrent et ce fut comme un claquement de fouet – car aussitôt elle baissa les yeux, de crainte sans doute de laisser voir son émoi à celle qui la surveillait.

Je l'imitai, m'interrogeant. Se rappelait-elle mon nom qu'imprudemment, sur une impulsion, je lui avais révélé ? Enola Holmes… Un instant, je m'étais sentie très proche de cette fille de baronnet, déchirée en une double personnalité : l'artiste gauchère contrariée, hypersensible, qui traduisait à grands traits de fusain sa compassion pour les démunis, et l'adolescente docile, droitière et bien élevée, la lady Cecily de la haute société.

Mais un point me revenait en mémoire : lors de cette rencontre, ce que je savais d'elle avait été sans commune mesure avec ce qu'elle savait de moi. Je devinais combien mon apparition, en nonne voilée tout de noir vêtue, avait dû lui paraître irréelle par cette nuit de grand danger ; et quel choc ce devait être à présent de me revoir ici, en plein jour. Peut-être formait-elle l'espoir fou qu'à nouveau j'allais lui venir en aide, quel que fût son désarroi ?

Mais précisément, de quoi retournait-il ? Posant mon journal de côté comme si j'étais lasse de le lire, je me plongeai dans la contemplation du carrelage à mes pieds tout en brûlant de jeter un nouveau coup d'œil en direction de lady Cecily. Avais-je imaginé cet éclair de désespoir qu'il m'avait semblé voir passer dans ses yeux sombres, et la pâleur de ses traits, et l'aspect terne de ses cheveux blonds, tirés en arrière sous un canotier de paille ?

L'instant d'après, lorsque je me risquai à relever les yeux, elle tenait un éventail à la main.

Un bien curieux éventail, en ce qu'il était rose bonbon, d'un rose uni, non seulement banal à pleurer, mais encore jurant à cœur joie avec le jaune citron de sa jupe et les tons beurre frais de ses gants de chevreau.

Mieux : alors que la jupe était de soie fine – du surah, pour ce que j'en voyais –, l'éventail susdit était en papier, du simple papier plié en accordéon, collé sur deux baguettes et naïvement festonné de plumes duveteuses teintes en rose.

« Franchement ! grommela soudain son escorte, assise au coude à coude avec elle et légèrement de biais, de manière à la tenir à l'œil. Il faudra m'expliquer pourquoi vous tenez tant à cet éventail hideux, quand je vous en ai offert un neuf, et si élégant, en dentelle et soie, avec baguettes d'ivoire. Une autre allure que cette horreur ! »

Sourde à la remarque, Cecily ouvrit son éventail rose et se mit en devoir de s'éventer le visage. Elle tenait l'accessoire de la main gauche, ce qui me semblait éloquent : elle avait résolu d'être elle-même – et tant pis pour le savoir-vivre. Je notai aussi qu'elle le plaçait entre elle et sa gardienne, en frêle protection. Derrière ce paravent éphémère, son regard croisa de nouveau le mien et, comme par hasard, une pointe de l'objet lui effleura le front.

Je compris le signal instantanément : *Prudence. On nous observe.* Le langage des éventails, invention d'amoureux cherchant à se faire une cour clandestine, ne m'était pas vraiment familier – je n'en avais jamais eu l'usage et doutais fort de l'avoir un jour ; mais j'en connaissais les rudiments pour avoir lu les pages qui lui étaient consacrées dans un ouvrage que Mère m'avait offert pour mes quatorze ans.

Discrètement, sans aucun autre signe, je poussai un soupir comme si la chaleur m'accablait, et plongeant la main dans une large poche sous un pli de ma robe, j'en tirai mon propre éventail – que je portais sur moi non pour flirter ni pour jouer les élégantes, mais bien pour me rafraîchir quand Londres se faisait étouffant. Le mien était en batiste brune, sobre mais de bon goût, et je l'ouvris suffisamment – plus qu'à moitié –, pour signifier la cordialité.

Là-dessus, la première des deux matrones à faire usage des toilettes en ressortit d'un pas digne, et l'autre se leva pour prendre sa suite. Lady Cecily profita de l'intermède pour animer son éventail d'une série de frétillements fébriles, à la façon d'une aile qui volette, comme en signe d'agitation ou de détresse.

L'espace d'une seconde, je posai le mien contre ma joue droite. Oui. J'avais compris : elle avait des ennuis.

« Votre main ! cingla l'arrivante en s'asseyant. Servez-vous de votre main droite. Et rangez ce jou-jou stupide. »

Cecily se figea, mais n'obéit pas.

« J'ai dit : rangez ceci », ordonna sa… geôlière ?

J'exagérais sans doute, mais cette femme avait tout d'un cerbère en jupons.

« Non, rétorqua lady Cecily. Il me plaît de jouer avec.

– *Non ?* » répéta l'autre d'un ton inquiétant. Puis elle changea d'intonation. « Fort bien. Résistez donc. Tant qu'il s'agit de broutilles… »

Et elle poursuivit si bas que je n'entendis plus qu'un murmure. Assise bien droite, raide comme une horloge de parquet, la taille corsetée à mort sous sa robe à colifichets, cette femme ne m'apparaissait que de profil. Et moi, tout en feignant de m'éventer d'une main molle, à moitié assoupie, je m'efforçais de tout analyser, tout relever, tel un chien limier aux aguets.

Détaillant l'inconnue du coin de l'œil, de manière à être sûre de la reconnaître si je devais la revoir un jour, je me fis soudain la réflexion qu'elle ressemblait beaucoup à l'autre. Toutes deux présentaient des traits d'une rare délicatesse malgré leurs triples mentons : sourcils joliment arqués, nez fin, bouche petite mais bien dessinée. En fait, elles se ressemblaient tant qu'elles étaient probablement sœurs, voire jumelles. Peut-être celle-ci grisonnait-elle un peu plus que sa semblable, du moins pour ce que je voyais de ses cheveux sous un somptueux chapeau très mode, tellement incliné de biais que la grappe de fleurs à son rebord lui effleurait presque l'épaule.

« … quand bien même nous y passerions la journée. » Dans sa véhémence, le dragon haussait le ton. « Il vous *faut* un trousseau, et vous *aurez* un trousseau.

– Vous ne pouvez pas me forcer…

– C'est ce que nous verrons. On y va », conclut la

matrone, voyant sa comparse émerger des toilettes et signaler d'un petit coup d'ombrelle qu'elle était prête.

Alors Cecily se leva sans mot dire et, ce faisant, plaça son éventail ouvert devant sa bouche. Ce message, sauf erreur de ma part, était un signe d'encouragement adressé à un soupirant timide. Il signifiait : *Abordez-moi*. Mais dans les circonstances présentes, surmonté de ces grands yeux qui m'imploraient d'une lueur sombre, que signifiait-il ?

Ne m'abandonnez pas ? Venez à mon secours ?

J'effleurai ma joue de l'aile de mon éventail. Oui.

Sauvez-moi ?

Volontiers. Mais de quoi ?

« Allez-vous enfin ranger cette horreur, qu'on ne la voie plus ? »

La jeune fille se contenta d'abaisser l'objet offensant, puis, entre ses deux cerbères, elle se dirigea vers la porte, non loin de laquelle je m'éventais toujours d'une main machinale, réfléchissant avec fièvre. Lady Cecily tenait à présent l'éventail rose par son lacet et le faisait tournoyer – autre signal de danger. *Prudence. Pas de geste compromettant.*

Elle réclamait la discrétion. Je fis mine de m'absorber dans la contemplation de la hideuse nature morte cernée de dorures qui ornait le mur du fond, et laissai les visiteuses passer devant moi, toutes mes pensées tendues vers une idée fixe : Il faut que je voie où elles vont, il faut absolument que je voie…

Bom ! Une secousse fit trembler la banquette sur laquelle j'étais assise, et, du coin de l'œil, je vis une forme jaune s'écrouler droit sur moi – lady Cecily, qui venait de se prendre les pieds dans sa stupide jupe entravée. Mais ses escortes, vives comme l'éclair, la redressèrent d'un coup sec, et elles achevèrent de l'entraîner dehors sans un mot d'excuse pour moi.

Si ces dames avaient daigné me jeter ne fût-ce qu'un regard, elles auraient peut-être noté ce qu'alors je découvris : sur la banquette, à côté de moi, un éventail de papier rose.

CHAPITRE II

La porte aussitôt refermée, je sautai sur mes pieds, enfonçant dans ma poche l'éventail rose et le mien. Il me fallait suivre ces trois-là, et vite, il me fallait à tout prix découvrir ce qui tourmentait tant lady Cecily.

Oui, mais si je les suivais de trop près, le risque était grand de me faire repérer par ses redoutables chaperons. Je commençai donc par me jucher sur la banquette, d'où je pouvais, en m'étirant bien, jeter un coup d'œil dehors par la lucarne haut perchée. Les petits losanges du vitrage déformaient ma vision des choses, mais je parvins à distinguer trois silhouettes, résolument en marche vers la station de fiacres voisine.

Je descendis de mon perchoir – et j'eus un petit choc : la gardienne du lieu était là, qui me regardait avec insistance. L'index sur mes lèvres, j'achetai son silence d'un shilling. Cette transaction muette, bien qu'instantanée, me fit perdre de précieuses secondes.

J'enfilai mes gants à la va-vite et ressortis en hâte. Juste à temps, à mon soulagement, pour voir une frêle silhouette citron se faire hisser à bord d'un fiacre, suivie de deux grandes formes sombres. Notant dans ma tête le numéro du véhicule, je m'élançai pour héler à mon tour…

Las ! je n'allai pas jusque-là. Alors qu'à l'étourdie je fonçais tête baissée, je me retrouvai brutalement nez à nez avec mon frère.

Avec l'aîné, le plus costaud des deux. Mycroft.

Au vrai, je fus à deux doigts de l'emboutir et je ne sais, de lui ou de moi, lequel fut le plus saisi. Je crois que je poussai un cri. Ce qui est sûr, c'est qu'il eut une sorte de jappement, comme si j'avais lancé un coup de poing dans son gilet de velours frappé. Tout semblant se produire à la fois, je serais en peine de dire lequel de nous deux passa à l'acte le premier, et si c'est lui d'abord qui m'empoigna le bras ou moi d'abord qui lui envoyai mon pied dans le tibia. Mon unique certitude est qu'à force de me trémousser, non sans lui écraser les orteils à travers sa bottine cirée, je parvins à me libérer sans même avoir dû envisager le recours à mon arme secrète.

S'il s'était agi de Sherlock, ma liberté aurait vu ses minutes comptées. Mais Mycroft, par chance pour

moi, n'était point difficile à semer. Je l'entendis hale-
ter à mes trousses le temps de quelques foulées, puis
mugir à la cantonade : « Arrêtez-la ! »

À quoi je ripostai à pleins poumons : « Il a mis les
mains sur moi ! » Accusation si grave que tous ceux
qui l'entendirent se tournèrent vers mon pauvre frère
sans aménité.

Pendant ce temps, louvoyant de mon mieux entre les
jupes des dames et les cannes des messieurs, je regagnai
vivement le refuge des toilettes publiques, marmottai
à la gardienne que j'avais dû oublier quelque chose et
me précipitai au cœur de l'édicule[1], où je trouvai une
femme de ménage fort occupée à prodiguer un déso-
dorisant, bienvenu en pareil lieu.

« Veuillez me laisser seule », lui dis-je – un peu
sèchement, je le crains.

Le temps pour Mycroft, j'imagine, de se justifier
auprès des passants et de convoquer un constable,
j'étais déjà ressortie par la lucarne de derrière et je
n'avais plus rien d'une intellectuelle à lorgnon : adieu,
pince-nez, gants, petit chapeau, adieu, créature terne
et sévère ; j'étais devenue tout autre par la vertu d'une

---

1. Petit édifice élevé sur la voie publique et destiné à différents usages.

généreuse étole bariolée, de ce coton imprimé alors nommé « indienne » – car j'avais toujours sur moi, roulé dans mon corset, cet accessoire doublement précieux, tant pour les urgences que pour avantager un buste obstinément fluet. Ainsi muée en gitane, les mains nues et le restant de ma personne drapé de cette cotonnade colorée, je ralliai la station de métro la plus proche et regagnai sans encombre le bureau du Dr Ragostin.

Nul ne me vit m'introduire dans la place en pareille tenue, par bonheur, car je me gardai bien de passer par l'entrée officielle. Non, je me faufilai dans la ruelle entre la bâtisse et sa voisine, et là, derrière un épais buisson, je pressai d'un doigt ferme sur l'une des moulures qui paraient la demeure d'un décor de gâteau meringué. La chose s'entrebâilla, je me coulai derrière, ouvris une seconde porte secrète et pénétrai ainsi dans le bureau privé, fermé de l'intérieur, du bon docteur censé m'employer. J'avais eu la chance inouïe de tomber sur cet aménagement ingénieux le jour où j'avais repris les locaux du soi-disant médium (et authentique escroc, mais c'est une autre histoire) qui y tenait ses séances de spiritisme. Cette issue secrète sur l'extérieur, camouflée derrière une bibliothèque, et le petit cabinet non moins secret où je rangeais mes déguisements se révélaient pour moi bien utiles.

Je jetai sur un fauteuil mon étole de gitane, allumai deux de mes lampes à gaz, puis m'effondrai dans le sofa de chintz, remâchant ma rancœur.

Sotte, sotte, sotte que j'avais été. Si seulement je n'avais pas foncé comme un bison ! Peut-être alors aurais-je évité ce fâcheux nez-à-nez avec mon frère ? À présent, outre le fait que je m'étais sentie bête (il était encore trop tôt pour savourer l'idée d'un Mycroft se sentant au moins aussi bête), j'avais perdu toute chance de prendre en filature lady Cecily et ses dragons, toute chance de découvrir dans quelle nouvelle tourmente elle se débattait.

Même le numéro du fiacre qui les avait emportées s'était effacé de mon esprit dans l'aventure. Je n'avais plus d'autre indice que ce pauvre éventail de papier sur mes genoux. D'ailleurs, sans cet objet d'un rose navrant, j'aurais peut-être cru avoir rêvé tout l'épisode.

Je le présentai à la lumière, l'examinai sous tous les angles, à l'œil nu, puis à la loupe. Peut-être portait-il un mot, un message ? Mais non, rien. Rien sur les baguettes de bois blanc, ni trait de crayon ni griffure, et rien non plus sur le papier, hormis un léger filigrane en damier. Pas plus que sur la bordure de petites plumes duveteuses, volées sans doute à quelque brave canard blanc puis teintes en rose, et que j'inspectai une à une, à la recherche d'une marque quelconque sur la tige. Et rien n'était glissé non plus entre baguette et papier – rien, rien, rien.

Et flûte et zut. Si seulement…

Peste soit de Mycroft ! Peste soit des frères aînés !

Jurant tout bas, j'allai m'asseoir au grand bureau du Dr Ragostin et là, m'armant d'un crayon et de papier à dessin, je gribouillai un méchant portrait de Mycroft – avec cet air ahuri qu'il avait eu à ma vue, les yeux plus ronds, les sourcils plus hauts que s'il venait de mettre le pied sur un rat. Après quoi, un peu apaisée, je me mis à dessiner lady Cecily, affublée de sa jupe entravée sous les genoux. Souvent, dans les moments de contrariété, manier le crayon m'apaisait.

Cette jupe… Lady Cecily n'avait pourtant rien d'une évaporée folle de mode. Alors pourquoi un vêtement aussi niais ?

Tout en crayonnant, je revis soudain ce canotier sur sa tête.

Aucune logique. Avec une jupe aussi sottement à la page, pourquoi un petit chapeau sans élégance et pas même à la mode ?

Crayonnant toujours, je m'attaquai au visage de lady Cecily. De profil d'abord, puis de face.

Et cette coiffure non plus, à la réflexion, ne cadrait pas avec la jupe. Si vraiment Cecily avait tenu à une allure dernier cri, elle aurait porté une frange de bouclettes, masquant en partie son front haut. Là, telle que je l'avais vue, elle ressemblait un peu à l'Alice d'*Alice au pays des merveilles*.

Alice non plus, sur les images, ne souriait jamais.

Malgré les illustrations de John Tenniel, jolies quoique un peu vieillottes à mes yeux – dame ! elles faisaient leur quart de siècle –, je n'étais pas une fanatique de Lewis Carroll. Je n'aimais qu'à moitié la fantaisie pure. Je préférais les histoires contenant plus de logique. Comme dans la vraie vie. Sauf que la vraie vie aussi manquait souvent de logique. Par exemple, une jeune fille fortunée comme lady Cecily avec un éventail de papier, c'était une absurdité.

Pourquoi cet objet de pacotille ?

À présent très absorbée, j'esquissai une nouvelle Cecily, son éventail à la main cette fois, et m'efforçai de restituer cette expression qu'elle avait eue lorsqu'elle m'avait reconnue…

Brusquement, je revis ses yeux sombres, son appel muet.

Elle avait des ennuis. De gros ennuis.

Ce qu'elle attendait de moi, je n'en avais aucune idée. Mais je devais l'aider.

Bien, mais comment ? Quelle piste suivre ?

Au bout d'un moment, je me levai, gagnai certaine étagère à livres et, glissant la main derrière un gros volume des essais de Pope, je tirai une targette cachée. Sans bruit, tout un pan de la bibliothèque pivota sur ses gonds huilés, livrant passage à mon petit cabinet d'habillage privé, où je me mis en devoir de me « changer » – dans tous les sens du terme.

J'allais rendre une visite à la maison Alistair.

Et puisque lady Theodora me connaissait sous les traits de la timide « Mrs Ragostin », il me fallait redevenir cette jeune personne effacée.

C'est donc timide et effacée, pas sophistiquée pour un penny malgré son face-à-main et son ombrelle, que l'épouse-enfant du Dr Ragostin gravit le perron de la demeure du baronnet Alistair, puis tendit le bras vers le marteau de cuivre de la lourde porte. (Attention ! frapper tout doux…)

Pour me faire aussi insignifiante que possible, j'avais enfilé une robe au motif éteint, dans les tons bruns, complétée de gants de coton grisâtre et d'un chapeau de feutre informe, vert caca d'oie. Deux boutons de rose – d'une variété moussue passée de mode – ornaient mon corsage et le ruban de mon chapeau. Dans la bonne société, se fleurir était de rigueur, y compris pour les messieurs, qui portaient fleur à la boutonnière.

J'espérais vivement que lady Theodora allait accepter de me recevoir. Lors de mes précédentes visites, cette femme d'une beauté rayonnante, aux prises avec de lourds tracas, avait paru apprécier la présence de la jeune Mrs Ragostin, ni belle ni rayonnante.

Mais lorsque le redoutable majordome ouvrit la porte, il ne me tendit pas de plateau d'argent sur lequel déposer ma carte de visite. Et c'est à peine s'il jeta un regard à celle-ci dans ma main gantée, alors qu'il m'avait reconnue, j'en aurais juré.

« Lady Theodora ne reçoit pas.

– Madame est souffrante ? hasardai-je, d'une petite voix de souris bien éduquée.

– Madame ne reçoit personne. »

Ah ? Bizarre. S'il s'était agi d'une indisposition passagère, il aurait admis que Madame était souffrante.

« Demain, alors ? pépiai-je.

– C'est peu probable. Madame a besoin de repos complet. »

Un nouveau bébé en route, peut-être ? Comme si cette pauvre Theodora n'avait pas déjà mis au monde suffisamment de petits Alistair ! Elle devait pourtant être en âge de se ménager. Et ce mystérieux besoin de repos complet était-il pure coïncidence, ou avait-il un quelconque rapport avec les ennuis de sa fille ?

Je pris ma voix la plus fluette et balbutiai : « Comme c'est dommage… Mais tant que je suis ici… j'aurais voulu… j'aurais aimé… Puis-je toucher un mot à lady Cecily ?

– L'honorable lady Cecily ne réside plus ici. »

La réponse m'ébranla, et ce pour deux raisons. Où donc se trouvait Cecily, si elle n'habitait plus chez elle ? Et pourquoi le majordome se montrait-il si franc ? Cela dit, sa mine refermée comme une huître semblait clamer qu'il regrettait déjà cet accès de franchise. À l'évidence, mon insistance le perturbait.

Encouragée, je restai sur le seuil. « Ah bon ? Lady Cecily est déjà partie à la campagne, peut-être ? »

Peine perdue. Il estimait en avoir assez dit. Il marmonna une vague civilité et me referma la porte au nez.

Fin de l'opération lady Theodora.

Et maintenant, que faire ?

CHAPITRE III

Plus tard ce même jour, redevenue miss Meshle, secrétaire du Dr Ragostin, je regagnai mon gîte de l'East End et partageai avec ma vieille logeuse un souper des moins inspirés : ragoût de rognons aux carottes. Cette brave Mrs Tupper étant sourde comme un pot, je n'essayai même pas d'entamer la conversation au cours du repas, mais sitôt ma serviette pliée, je lui signalai que je souhaitais lui emprunter de la lecture. À cette fin, de mes deux mains, j'esquissai le geste d'ouvrir un journal, puis je désignai du doigt l'étage où elle avait sa chambre. La bâtisse, un peu délabrée, ne comptait que trois pièces en tout, si l'on exceptait les combles : sa chambre, la mienne, et la cuisine-séjour-salle à manger du rez-de-chaussée. Mais la pauvre chère âme se méprit sur le sens de ma mimique. Collant à son oreille son cornet acoustique, elle se pencha vers moi et bêla : « Comment ? Une chauve-souris là-haut, vous dites ? »

Pour finir, il me fallut l'entraîner à l'étage et lui

montrer ce que je convoitais : ses piles de magazines mondains et autres revues à potins.

L'idée était simple. J'espérais pouvoir trouver dans ces pages de quoi découvrir l'identité des deux duègnes aux mains desquelles j'avais vu lady Cecily.

Suivre de près les faits et gestes des « gens de la haute » était une activité qu'à vrai dire je méprisais un peu, me voulant « démocrate ». J'avais donc un sérieux rattrapage à faire. Ayant transféré dans ma chambre le trésor accumulé par Mrs Tupper, je me dépouillai avec soulagement de mon harnachement de routine – robe, corset, capitons variés, fausses bouclettes, faux cils et j'en passe –, je m'enveloppai voluptueusement dans ma bonne robe de chambre et, les pieds dans mes mules, j'attaquai ma lecture.

Dire que j'y pris plaisir serait exagéré. Au cours des deux ou trois heures qui suivirent, assise près de la fenêtre, j'appris que le jeu de croquet était passé de mode, que le tennis et le tir à l'arc étaient encore à peu près en vogue, mais que le sport dernier cri, pour les dames, était le golf. Lord Oreilles-de-cruchon et lady Tête-de-panais avaient été vus blablabla en carrosse à Hyde Park, Madame en robe Worth de moire bleu ciel, tout ornée de ceci-cela. Et quelle pitié que le palais de Kensington fût désert, bien qu'entièrement rénové ! Une foule de gens très distingués avaient assisté au baptême du petit lord Machin-Chose, premier né du baron de Peu M'importe. Le satin ne se faisait plus, la dernière mode était la « peau de soie ». Une exposition de peinture sur le thème de l'Essor de l'Empire Britannique se tenait à la galerie M'as-tu-vu. Le vicomte et la vicomtesse de la Branche Maîtresse annonçaient les fiançailles de leur fille Nom-sans-fin au plus jeune fils du comte de Sang-Bleu…

J'en avais la tête farcie, je me sentais au bord de la folie, et cependant, je n'avais pas encore feuilleté le quart de la pile. À toute allure, je balayais des yeux gros titres, images, légendes, articles, à la recherche d'un indice – le patronyme Alistair ou quelque portrait évoquant les traits de ces deux mégères tels que je les avais gravés dans ma tête, aussi délicats qu'empâtés.

Lorsqu'il ne fit plus assez clair pour lire à la lumière du jour, c'est sans regret que j'abandonnai la partie. Poursuivre à la bougie ? Inutile. Je ne ferais que m'y abîmer les yeux. Alors, plongeant la main sous mon matelas, j'en tirai ma tenue de la nuit.

À présent que l'hiver était derrière nous, les miséreux du quartier avaient nettement moins besoin de secours. Mon frère Sherlock m'ayant surprise dans ma tenue de prétendue religieuse, j'avais dû abandonner cet habit noir aux poches profondes. Mais je n'avais pas renoncé pour autant à glisser des pennies aux déshérités, et je m'étais trouvé un nouveau déguisement dans lequel rôder aux heures sombres : je me faisais chiffonnière, l'une de ces femmes qui farfouillaient dans les tas d'ordures, cherchant non seulement de vieux chiffons (rachetés à vil prix par les papeteries), mais encore des os (pour les fabriques d'engrais), de la ferraille (pour les hauts-fourneaux), voire des restes comestibles – auxquels, pour ma part, je ne touchais guère. Enveloppée d'un châle râpé par-dessus une grosse jupe rapiécée, je cheminais d'un pas traînant, une lanterne à la main et un sac de jute sur le dos.

J'ai toujours aimé circuler la nuit, et en jouant les chiffonnières, je m'étais donné un but : apprendre à me repérer dans Londres, et pas seulement à travers l'East End. Sous ce déguisement, je pouvais me balader à peu près partout sans grand danger : les chiffonnières n'étaient-elles pas de braves fourmis, l'incarnation même du sens de l'économie ? Certes, la décence interdisait à ces créatures peu présentables de circuler en plein jour ailleurs que dans les quartiers populaires ; mais de nuit, seules les méchantes gens avaient le cœur de leur faire la chasse.

Que Mrs Tupper fût ou non déjà au pays des rêves, dure d'oreille comme elle l'était, elle ne risquait guère de m'entendre sortir. Refermant la porte en douceur, je me plongeai dans la rue – encore bien animée, car à la belle saison, à Londres, les quartiers pauvres fourmillaient de vie jusqu'au cœur de la nuit.

Bras dessus, bras dessous, trois hommes titubants passaient le coin de la rue, braillant un chant d'ivrogne. Plus loin, sous un bec de gaz de guingois, des femmes au dos voûté tiraient l'aiguille, cousant des sacs à patates, de quoi gagner quelques *farthings*[1] jusqu'au jour où leurs mains et leurs yeux les trahiraient. À l'angle de rue suivant, sous un autre réverbère, d'autres femmes faisaient le pied de grue, montrant généreusement chevilles et décolleté – elles aussi au travail, sans toile et sans aiguille. Partout traînaient des garnements, pas bien grands, pas bien gras non plus. Dans ces ruelles, il me semblait parfois que la moitié de la population n'avait pas douze ans et que, parmi ces moutards, deux sur cinq étaient orphelins – être mère

---

1. La plus modeste des pièces de monnaie britanniques, valant le quart d'un ancien penny.

à quinze ans et mourir avant la trentaine n'avait rien d'exceptionnel pour une fille des bas quartiers. Quant aux autres, ils m'avaient tout l'air de petits Hänsel et Gretel que leurs parents ne pouvaient nourrir.

Mais cela, c'était l'East End. À condition de marcher un peu, je pouvais gagner le métro et, grâce à lui, me retrouver à l'autre bout de Londres comme par magie. C'était alors un monde nouveau à explorer.

Particulièrement le lointain quartier résidentiel dans lequel je me rendis en ce soir de mai 1889.

Là, en périphérie de la ville, sommeillaient de grandes demeures à silhouette massive, parfois drapées de vigne vierge, plantées au milieu de jardins clos. Des rues larges et désertes débouchaient sur de vastes places pavées. Ce quartier aéré, tout en pierre de taille, brique proprette et verdure pimpante, me fascinait depuis que je l'avais découvert, peu auparavant. Qui vivait là, quel genre de personnes ? Dans cette bâtisse à tourelles carrées, par exemple, des nouveaux riches ou quelque ancienne tête couronnée, déchue, ruinée ? Dans cette vaste demeure mansardée, façon second Empire français, de vieilles demoiselles fortunées ou quelque amateur d'art excentrique ? Et dans cette autre, tout en pignons, de style Queen Anne, un médecin réputé ? Un dandy ? Certaines étaient éclairées de l'intérieur, au gaz évidemment ; d'autres dormaient dans l'ombre.

Le long des rues, pas âme qui vive – ah ! sauf deux vidangeurs en tournée. Certaines résidences, peut-être, possédaient déjà ce luxe qu'étaient des toilettes intérieures, mais la plupart n'avaient encore que des latrines au fond du jardin, qu'il fallait vider réguliè-rement, besogne assez peu plaisante et qui ne se faisait qu'à la nuit close. D'où ces tournées des hommes de métier avec leur grande cuve de zinc posée sur une charrette à bras. Lorsque le grincement des roues de leur carriole ne fut plus qu'un souvenir (contrairement à l'odeur qui les accompagnait), je ne vis ni n'entendis plus personne durant de longues minutes, jusqu'au moment où mes pas croisèrent ceux d'un constable faisant sa ronde sans hâte excessive.

« 'Soir, mon gars, le saluai-je d'une voix aigrelette, chevrotant un peu.

– 'Soir, ma p'tite dame. » Un Irlandais, clairement, et de la meilleure humeur. D'un geste, faisant tour-noyer son bâton, il désigna mon sac de jute, puis la rue dans son dos. « À ce que m'a dit mon nez, avant que soyent passés ces empuantisseurs, semblerait qu'y ait eu de la soupe à la tortue au 44, y' a pas longtemps.

– Ah ? Merci du renseignement. » Je repartis de

l'avant, m'éclairant de ma pauvre lanterne, et en effet, dans l'arrière-cour du numéro 44 de la rue, je distinguai bientôt les os d'une tête de veau ayant servi à préparer la fameuse soupe dite « à la tortue ».

On n'imagine pas ce que peuvent raconter les ordures ménagères. Par exemple, dans cette maison-là, on avait sans doute des aspirations un peu au-dessus de ses moyens. Car la soupe à la tortue, la vraie, du dernier chic chez les gens bien, avait de quoi vous mettre sur la paille, au prix où était la viande de tortue.

Le crâne de veau – bien propre et bien sec – glissé dans mon sac de jute, je poursuivis ma quête à pas lents, d'arrière-cour en fond de jardin, enhardie par l'indulgence du constable. Je n'avais pas à m'aventurer loin dans les allées carrossables ; le plus souvent, les immondices s'entassaient près du chemin, derrière la remise ou l'écurie. Neuf fois sur dix, un chien enfermé là aboyait pour la forme, et se faisait rabrouer d'une voix ensommeillée par le valet qui dormait sous les combles, et qui jetait un vague coup d'œil à sa lucarne. Ainsi implicitement tolérée dans les arrière-cours du quartier chic, je jouais à imaginer ses habitants à partir de mes trouvailles. Parfois, derrière l'écurie s'étendait un potager, bien placé pour bénéficier de la paille et du fumier de cheval : ici vivaient des gens de bon sens.

Certaines demeures semblaient inoccupées, attendant peut-être le retour d'un propriétaire en voyage ;
d'autres hébergeaient des familles avec enfants en bas
âge, comme en témoignaient les ballons ou cerceaux
dans l'herbe. Dans l'une d'elles, il devait y avoir une
couturière à plein temps, car ma lanterne révéla tout
un trésor de chutes de tissu, serge, taffetas, coton-
nades, que j'enfournai prestement dans mon sac.

Pour la demeure suivante, je le constatai en arrivant
devant son mur surmonté d'une grille, je n'avais guère
besoin de ma lanterne. Curieusement, la façade de
la bâtisse s'éclairait de grands becs de gaz extérieurs,
telles des torches à l'entrée d'un château. Diable, voilà
des gens qui ne regardaient pas à la dépense.

Le portail de l'allée était fermé au cadenas. Mais
à travers le fer forgé de la grille, je vis briller un petit
tas d'os à l'angle d'une remise.

J'ignore pourquoi, mais lorsqu'on se lance dans
une collecte systématique, le geste devient très vite
une sorte de manie, un besoin compulsif. J'avais
beau savoir qu'en fin de tournée je ferais don de
mon butin au premier mendiant sur mon chemin, ce
fut plus fort que moi. Ces gros os de pot-au-feu que
j'apercevais là-bas, il me les fallait. Coûte que coûte.
Oubliant qu'en théorie j'étais une pauvre femme

percluse de rhumatismes, j'escaladai mur et grille en deux temps, trois mouvements. J'adorais grimper, et c'était devenu un luxe rare, l'activité ne figurant pas parmi les passe-temps pour dames. Un peu grisée par l'exercice, je sautai de l'autre côté et me tournai vers le trésor convoité.

Je n'avais pas fait trois pas qu'un feulement de fauve digne d'un tigre du Bengale me cloua sur place. Un énorme animal chargeait vers moi, lancé comme un bison au galop.

Horreur ! Je n'avais pas repéré le chien du lieu, sans doute tapi derrière la remise, et à présent, le vrai propriétaire du tas d'os, un mastiff haut sur pattes, n'avait plus qu'une idée : me sauter à la gorge.

Trop tard pour battre en retraite. Folle de terreur, je cherchai ma dague à tâtons, mais c'est alors que la bête s'arrêta net, inexplicablement, non sans gronder toujours de la plus sinistre façon.

Que se passait-il ? Pourquoi n'étais-je pas déjà égorgée ? Et tout à coup, je compris.

Le ciel soit loué ! Le mastiff était bloqué par un obstacle invisible. Une clôture d'un autre genre, que je devinais seulement, et si je ne me trompais pas…

« Eh bien, Lucifer, qu'avons-nous là ? » s'informa une grosse voix traînante, et une silhouette masculine, aussi massive que celle du chien, surgit d'un bosquet et s'approcha à longues enjambées pour venir se planter devant l'obstacle invisible.

Un saut-de-loup, simplement ! Également nommé « haha ». Autrement dit, un fossé, un profond fossé maçonné, aux parois abruptes, juste assez large pour que ni homme, ni loup, ni autre créature connue ne pût envisager de le franchir d'un bond. À la campagne, ce genre de douve sèche était assez courant autour des grands domaines : quel meilleur moyen de conserver la vue sur le paysage tout en se protégeant des intrus, bétail et rôdeurs confondus ? Mais en ce lieu, si près de la ville et derrière un mur, à quoi rimait cet aménagement ?

« Une vieille pouilleuse, grognait l'homme d'un ton de dégoût. Et qui t'a permis d'entrer là, toi, hein ? »

Me faisant toute petite, je me gardai de répondre, les yeux sur la fosse.

« Tu sais ce que c'est, au moins, ce trou-là ? ricana soudain l'homme. Ça s'appelle un haha. Et tu sais pourquoi ? Parce que quand vous tombez dedans, vous autres vermines, ça nous fait rire, haha, haha, haha ! »

Ces inflexions, ce ricanement... Ils me glaçaient le sang plus encore que les grondements du mastiff. Je reculai d'un pas...

« Haha, haha, haha ! »

Vivement, je me coulai dans l'ombre de la remise, hors de vue de l'homme et de son chien, et j'eus tôt fait de repasser derrière le fer forgé.

« Haha, haha ! poursuivait le bonhomme. Et nous vous laissons pourrir là ! »

Mais j'étais déjà loin.

Tout bien pesé, pas une seconde je n'avais été en réel danger. Pourtant, une heure et demie plus tard, en sécurité dans ma chambre et les draps remontés jusqu'au menton, j'en grelottais encore.

CHAPITRE IV

Le lendemain matin me vit regagner mon bureau – ou plutôt le cabinet du Dr Ragostin, dans sa bâtisse néogothique – avec un grand sac à l'épaule, plein à craquer de magazines empruntés à Mrs Tupper. Mon employeur, je le savais, ne me reprocherait aucunement de me repaître de potins mondains durant mes heures de travail.

« Bonjour, miss Meshle ! me salua gaiement mon jeune réceptionniste, me tenant la porte. Va faire beau, on dirait.

– Si vous le dites, Joddy. »

Mais le soleil de mai pouvait bien inonder la pièce à travers les rideaux de chintz, je me sentais d'humeur funèbre, toute retournée que j'étais encore par mon face-à-face vespéral. Pourtant, je devais me secouer. Les ennuis de lady Cecily semblaient autrement importants que les miens, et je ne savais par quel bout les prendre. Pourquoi, mais pourquoi m'avoir glissé entre les mains cet éventail de pacotille ? Avec un soupir, j'envoyai Joddy me chercher les journaux du matin, je sonnai pour demander un thé, puis je m'attablai à mon bureau, prête à continuer de m'instruire sur les faits et dires de la haute société.

Lord Tristechose allait donner, le 18 mars (ah ! trop tard), au siège de l'Association des dames de Patati-Patata, une conférence sur ses voyages aux sources du Nil… Pour embellir et assouplir la chevelure, battre en neige quatre blancs d'œuf, y incorporer les jaunes additionnés d'une cuillerée de rhum, puis masser de ce mélange le cuir chevelu… Nouvelle pour ce printemps, la robe du matin, de style portefeuille, coupée en biais, avec coutures invisibles…

Une demi-heure de ce genre de prose, même en survol et en diagonale, et j'avais la tête comme un potiron. Non, non, ne pas baisser les bras.

Dernière tendance, les réceptions prenant pour thème une couleur unique : le déjeuner tout en jaune, le thé tout en rose…

Rose ?

LE THÉ TOUT EN ROSE, *à la pointe de la mode ces temps-ci, est une manière originale de recevoir et ne représente qu'un léger surcoût par rapport à une réception plus banale… Quelques idées pour obtenir un accord*

parfait. Le linge de table doit être rose, d'un ton assez
soutenu, ainsi que toute la vaisselle, dans une nuance
de porcelaine plus délicate – à louer ou à emprun-
ter, le cas échéant. Servir des gâteaux à glaçage
blanc montés sur des présentoirs juponnés de crépon
rose, et des gâteaux à glaçage rose montés sur des
présentoirs juponnés de crépon blanc. La table sera
éclairée de chandeliers garnis de bougies roses. Les
fleurs seront également dans les tons roses, avec tout
juste une touche de blanc, et les personnes assurant
le service porteront coiffe rose et tablier rose. Glaces
et crèmes seront bien évidemment dans les tons rose
et blanc, et servies dans des récipients enveloppés de
papier rose artistiquement plié de manière à figurer
des objets fantaisie – paniers, cartons à chapeau,
coquillages, brouettes, etc.

Ces accessoires de fête pour réception en rose, et
bien d'autres encore, non moins raffinés, vous seront
procurés par tout traiteur de qualité...

Accessoires de fête.

En rose.

Comme des éventails en papier, par exemple ?

Était-ce un fil à tirer ? Oui, un fil ténu. Plus mince
que mince, mais mieux que rien.

Je me redressai, fis tinter ma clochette, et lorsque, à défaut de Joddy, la fille de cuisine apparut, je la chargeai d'aller prier Mrs Bailey et Mrs Fitzsimmons de bien vouloir m'honorer de leur présence un instant.

Je dois rappeler ici que la bâtisse au nom du Dr Ragostin n'abritait pas seulement son bureau, mais faisait aussi pension de famille pour une poignée de locataires, au grand soulagement de mes finances, Mrs Fitzsimmons assurant l'intendance et Mrs Bailey régnant sur les fourneaux.

Ces deux vaillantes âmes se présentèrent bientôt devant moi, coiffées de la même charlotte blanche et arborant la même mine réservée sur leurs faces rondes un peu fripées. Employées depuis plusieurs mois par un Dr Ragostin qu'elles n'avaient encore jamais vu – même s'il payait leurs gages rubis sur l'ongle –, elles devaient commencer à soupçonner que j'étais un peu plus qu'une simple secrétaire.

Après les avoir saluées le plus aimablement du monde, quoique sans les inviter à s'asseoir, je posai ma question : « Pourriez-vous me dire où trouver un traiteur ? »

Mrs Bailey parut s'enfler comme un hérisson en courroux. « Un traiteur ? Et pour quoi faire ? Suffit de me demander, je peux vous... »

Je ne la laissai pas poursuivre et précisai d'un ton patient : « Là n'est pas la question. Je voudrais seulement savoir *où* en trouver un. »

Dans quel quartier de la ville, autrement dit. À Londres, chaque corporation avait son secteur attitré : pour les banquiers, c'était Threadneedle Street ; pour les tailleurs, Saville Row ; pour les éditeurs de journaux à six pence, Grub Street ; pour les médecins, Harley, et ainsi de suite.

Après un bref conciliabule, Mrs Fitzsimmons et Mrs Bailey tombèrent d'accord : les traiteurs, on les trouvait surtout du côté de Gillyglade Court, sorte d'appendice à la nébuleuse de magasins chics autour de Regent Street.

Une heure plus tard, un fiacre faisait halte au seuil de cet olympe du commerce de luxe, et une jeune lady bien comme il faut en descendait – votre servante. Pour cette transformation à vue, ou plutôt hors de vue, je m'étais glissée dans mon cabinet secret où je m'étais dépouillée en hâte de tous les attributs de miss Meshle avant d'enfiler une robe de promenade en plumetis vert céladon, avec manches ballon dernier cri, « absolument divine » aux dires de la vendeuse. Puis j'avais couronné mon vrai visage à moi – cireux, effilé, un brin aristocratique – d'une perruque à la chevelure

glorieusement relevée, surmontée d'un opulent chapeau se résumant, en gros, à une énorme houppe
de plumes d'autruche agrémentée de dentelles. En
touche finale, des gants de chevreau gorge-de-pigeon,
des bottines assorties, une ombrelle d'organza[1] isabelle et *voilà*[2] ! J'étais une parfaite jeune femme du
grand monde, ma petite dague toujours en place dans
le busc de mon corset, à présent camouflée sous une
élégante broche d'opale.

Du côté de Regent Street, tout brille, tout reluit,
tout miroite, et c'était plus vrai que jamais en ce beau
matin de mai. Fenêtres et vitrines de ce quartier
superbe resplendissaient, regorgeant de merveilles
richement éclairées derrière leurs vitres impeccables.
Les poignées de porte et autres cuivres étincelaient,
à croire que la suie londonienne n'osait pas se déposer là comme elle le faisait ailleurs. Mes jupons de
soie froufroutant sous ma jupe à traîne, j'allais d'une
boutique à l'autre, entrant et sortant d'un pas ferme
avec des tournoiements d'ombrelle et d'aimables
sourires condescendants pour les commis tout en
courbettes derrière leurs comptoirs. Très vite, mes

---

1. Mousseline de soie légère, très apprêtée et donc rigide.
2. En français dans le texte.

pérégrinations sans but apparent m'amenèrent comme par hasard à Gillyglade Court.

Partout où je mettais les pieds, ma tenue chic et mon accent « de la haute » me valaient d'emblée des égards quasi obséquieux. J'eus tôt fait de localiser plusieurs traiteurs et j'en appris plus long qu'il ne m'en fallait sur les services offerts par ces honorables établissements. Je pouvais, si le cœur m'en disait, louer des cafetières persanes en argent poli, des services de vaisselle en verre pressé, des fougères en pot, de sublimes – et sublimement inutiles – serviteurs muets pour centre de table, des cages à oiseau en or à accrocher au plafond (rossignol fourni sans supplément). De même, on me proposait des menus à sept services, des listes de vins longues comme le bras, plus un choix de « collations » et de friandises fantaisie, y compris des bonbons dont chacun livrait, en s'ouvrant, quelque sentence humoristique sur une bandelette de papier…

Le papier, à l'évidence, se prêtait à mille usages, aussi inventifs que variés.

« Je me suis laissé dire qu'un thé tout en rose se faisait beaucoup, ce printemps », glissai-je dans les cinq premiers établissements visités, après avoir jeté de vagues coups d'œil à la ronde à travers mon face-à-main.

Et dans chacun, la réponse fut la même, peu ou prou : « Mais absolument. Oui, pôôsitivement. » Et de me présenter illico une kyrielle d'accessoires roses : napperons de papier, fleurs de papier, petits bateaux de papier faisant bougeoir, pluie de pétales de rose en papier, écureuils, chapeaux hauts de forme, champignons, dromadaires, pyramides en papier, et le tout rose, rose, rose…

Chaque fois, je balayai l'ensemble du regard avec un léger dédain, et chaque fois, je commentai, dubitative : « Je ne sais pas… Je pensais à quelque chose d'un peu plus raffiné… Vous n'auriez pas des éventails de papier rose ? »

Non. Non, malheureusement, ils ne faisaient pas cet article.

Jusqu'au sixième établissement dans lequel me portèrent mes pas.

« Oh ! mais parfaitement, nous en avons. Nous avons dû en confectionner tout spécialement, il y a peu, pour la vicomtesse d'Inglethorpe, et le succès a été immense. Immense. D'ailleurs, nous en avons confectionné quelques-uns de plus, pour en avoir en réserve. Je vais vous montrer… »

Et d'un tiroir sortit un éventail de papier rose.

Identique en tout point, du moins à première vue,

à celui que m'avait glissé certaine jeune fille à jupe entravée.

« Permettez que je regarde de près ? » priai-je, veillant à ma superbe mais oubliant de feindre l'indifférence tandis que j'examinais l'objet à la lumière… et clignais des yeux, que dis-je ? louchais dessus, car quelque chose clochait ! Il était différent, pour finir, de celui de lady Cecily. « Euh, est-ce le même papier que celui que vous avez utilisé pour, euh…

– Pour la vicomtesse d'Inglethorpe ? Oui, positivement. Le même. »

Du papier épais, d'excellente qualité, mais sans la moindre marque. Nulle trace de filigrane d'aucune sorte.

Je restai plantée là un moment, et le malheureux employé devait se demander pourquoi je plissais le front pareillement.

« M'autoriseriez-vous à l'emporter ? » le priai-je – d'un ton un peu brusque, j'en ai peur, bien que mon irritation ne fût dirigée que contre moi-même.

« Mais il va de soi.

– Je vous remercie. »

Sans amabilité excessive, je sortis de la boutique, puis gagnai en grommelant la station de fiacres la plus proche. Aveugle, j'avais été aveugle.

Et gourde, et bouchée à l'émeri.

Comment avais-je pu ne pas voir ce qui, maintenant, me crevait les yeux ? Comment avais-je pu me montrer aussi obtuse ?

Mais à présent, sachant ce que je savais, tenant – ou presque – enfin un indice, j'avais la conviction que, très bientôt, j'allais savoir en quoi consistaient les ennuis de lady Cecily.

CHAPITRE V

Ce jour-là, miss Meshle regagna son gîte plus tôt qu'à l'accoutumée et tenta, sans y parvenir tout à fait, de rassurer d'un grand sourire une Mrs Tupper un peu surprise de la voir rentrer déjà, ainsi que la petite bonne de cette dernière, non moins surprise.

Grâce au ciel, la surdité de la première et l'humble condition de la seconde rendaient toute explication superflue. Je me contentai donc d'un signe de tête, d'un petit bonjour de la main, puis gravis l'escalier quatre à quatre. Sitôt la porte close, je me jetai sur l'éventail rose que m'avait glissé lady Cecily et l'approchai de la fenêtre. Je voulais voir ces marques, ces fameuses marques sur le papier rose, ce quadrillage presque imperceptible que j'avais pris pour un motif du papier, un décor en filigrane.

J'étouffai un vilain juron. Quelle buse, quelle buse, quelle triple buse j'avais été de ne pas m'y intéresser dès l'instant où je les avais repérées !

Mais il n'avançait à rien d'écumer. M'enjoignant

au calme, j'allumai une bougie. Puis je présentai l'éventail ouvert à la flamme, à distance prudente, afin de chauffer le papier doucement sans pour autant le faire roussir. Modifiant sans trêve l'orientation, attentive à réchauffer toute la surface de manière égale, je regardai lentement apparaître, sur le fond de papier rose, un quadrillage de lignes brunâtres.

Je repris mon souffle. J'avais deviné juste. De l'encre sympathique.

Je notai au passage que lady Cecily, avec son instinct d'artiste, avait à peu près sûrement usé d'un pinceau très fin plutôt que d'une plume, afin de ne laisser aucune trace sur le papier, même après que son encre « invisible », probablement du jus de citron, eut fini de sécher.

Mon cœur se mit à battre plus fort. Le message achevait d'apparaître, révélé par la chaleur ; j'allais pouvoir le lire…

Ou plutôt le déchiffrer.

Sitôt convaincue que le papier rose avait livré toutes ses lignes brunes, je m'empressai de regagner la fenêtre avec mon écritoire sur les genoux, j'en tirai un crayon, une feuille de papier de brouillon, et recopiai en hâte l'inscription révélée, de peur de la voir pâlir et disparaître. Telle quelle, déjà, elle était bien assez difficile à distinguer. Un peu au jugé, et non sans tâtonner, je parvins à transcrire ceci :

Quelques semaines plus tôt, durant une période d'inactivité et, avouons-le, de grande solitude, je m'étais procuré un petit livre que j'avais ensuite passionnément dévoré : un manuel très documenté sur les codes secrets et messages chiffrés. Non que ce fût le type d'ouvrage qui m'attirait d'ordinaire, mais cette « modeste monographie », selon les mots de son auteur, était signée d'un certain Sherlock Holmes, mon frère. Je l'avais lue et relue pour le plaisir d'« entendre » sa voix, toute de précision et de passion maîtrisée.

Grâce à Sherlock, donc, je pouvais affirmer que le message de Cecily était codé suivant le « chiffre des francs-maçons[1] », inventé au XVIIIe siècle. En vérité, même sans avoir lu la prose savante de mon aîné,

---

1. Appartenant à la franc-maçonnerie, organisation internationale, en partie secrète et semi-politique, fondée sur la fraternité et l'entraide entre ses membres.

je l'aurais aisément déchiffré. Car ce prétendu code secret était secret de polichinelle, connu de tous les écoliers d'Angleterre sous un nom plus prosaïque, l'« alphabet du parc à cochons ». Si connu, même, qu'on pouvait se demander pourquoi lady Cecily s'était donné la peine de chiffrer son message.

Tout en haut de ma feuille de papier, je griffonnai la clé de déchiffrement :

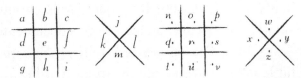

Coder un message de la sorte est bel et bien un jeu d'enfant : pour représenter chaque lettre, il suffit de tracer la case qui le contient, avec ou sans point. Le déchiffrer n'est pas plus sorcier. Reprenant le message secret, je me mis au travail… et obtins :

SOFSHIFSOHSCLEAHCAIASECSAUFSI

Quoi ? Pestant tout bas, je relus cette suite de lettres sans queue ni tête. Et moi qui avais cru tenir le fil ! La seule série de lettres formant un mot censé, là-dedans, c'était « clé ». Et peut-être – peut-être – « sauf si » ?

Sauf si ? Sauf si quoi ? On ne termine jamais un message par « sauf si » !

Sauf si… sauf si l'on est dérangé avant d'avoir fini de l'écrire ? Sauf si l'on ne fait vraiment pas ce qu'on veut ?

Quelque chose me disait que j'étais dans le vrai ; que lady Cecily n'avait pu achever son message. À l'évidence, elle était surveillée de près. J'en venais à regretter qu'elle eût cru devoir le coder. Chiffrer un message, c'est toujours plus lent…

Mais tout à coup, je compris pourquoi elle l'avait fait.

L'encre sympathique, même si elle se fait invisible au séchage, ne disparaît jamais complètement. Elle laisse toujours un léger miroitement, visible sous certains angles. Un message écrit en clair aurait pu être détecté. Tandis que le jeu de carrés de l'alphabet du parc à cochons se confondait avec les plis de l'éventail, et le peu qu'on en voyait passait pour une sorte de décor. Moi-même, n'avais-je pas songé à un filigrane du papier ? Dans le même temps, déchiffrer le message n'avait rien de compliqué pour celui qui savait le repérer.

Idée astucieuse, au fond.

Mais geste éperdu. Et bouteille à la mer que ce message à l'encre sympathique sur un éventail de pacotille et glissé à une personne croisée par hasard – car enfin, pour Cecily, j'étais à peine une connaissance, quoique peut-être le premier visage vaguement familier de la journée. Fallait-il être au désespoir pour en arriver là ! Oui, c'était un appel à l'aide, un authentique SOS…

SOS.

Mais bien sûr ! Les trois premières lettres n'étaient pas SOF ; elles étaient SOS.

Je repris l'éventail, l'examinai plus attentivement. Et en effet, j'avais manqué de repérer, dans la case que j'avais prise pour un F, le petit point qui en faisait un deuxième S.

La minute suivante me vit le nez sur cet éventail, à la recherche d'autres points qui auraient pu m'échapper. Or il y en avait, il y en avait même plus d'un, et pour finir, je parvins au résultat suivant :

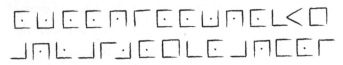

Déchiffré :

SOSSUISSOUSCLEAUPAINSECSAUFSI

Autrement dit : « SOS, suis sous clé, au pain sec, sauf si… »

Ma première réaction, je l'avoue, fut une intense satisfaction : eurêka ! Et je comprenais maintenant pourquoi Cecily avait porté cette stupide jupe resserrée sous les genoux : on l'y avait contrainte. C'était bel et bien une entrave, destinée à l'empêcher de fausser compagnie à ses escortes. Sans nul doute, les emplettes achevées, elle était de nouveau sous clé. Mais où ? Je sentis mon pouls s'accélérer. Une disparition, une vraie ! À cette pensée, quelque chose en moi bouillonnait…

Mais cette exultation retomba aussitôt. Comme s'il s'agissait d'un jeu de piste ! Non, Cecily semblait en réel danger. Parviendrais-je à la retrouver avant…

Avant quoi ? Elle se disait enfermée, mise au pain sec, sauf si – mais « sauf si » quoi ? Sauf si elle cédait à quelque injonction, probablement. Sauf si elle obéissait à un ordre auquel elle avait résisté jusqu'ici. Sauf si elle disait oui à…

Oh non ! Se pouvait-il que…

Il vous faut un trousseau, et vous aurez un trousseau, avait martelé l'une des duègnes.

En quoi consistait au juste un trousseau, j'aurais été en peine de le dire. C'était du linge, pour ce que j'en savais ; linge de maison, lingerie, dentelles… En revanche, je n'ignorais pas en quelles circonstances il en était question.

Ces dames avaient amenée lady Cecily dans le quartier d'Oxford Street afin de lui constituer un trousseau.

En d'autres termes, le fameux trousseau n'avait pas été confectionné par avance, comme c'était d'ordinaire le cas – cousu, brodé avec amour, pièce après pièce, au fil des mois, au cours de longues fiançailles. Et manifestement, à défaut, l'idée était écartée aussi d'en faire venir un de l'étranger, coûteux mais du dernier chic. Sans doute parce que le temps manquait.

Soudain horrifiée, je me dressai d'un bond, envoyant rouler par terre mon écritoire.

On allait marier lady Cecily.

La marier en hâte.

Et contre son gré.

CHAPITRE VI

Il fallait la retrouver. La retrouver et l'arracher à ce triste sort.

Mais par quel moyen ? Quelle piste suivre ? Sur la foi de quel indice ?

Enola, du calme. Réfléchis un peu.

Cette voix dans ma tête… C'était celle de Mère et, un bref instant, je la revis, elle. Mais au lieu d'en éprouver le réconfort habituel, je me sentis affreusement coupable : et elle, avais-je cherché à la retrouver ? Non.

Pourquoi ? Était-ce qu'au fond de moi je ne souhaitais plus la revoir ? Quelle fille étais-je, pour me montrer aussi peu attachée à ma mère ?

D'un autre côté, c'était Mère qui m'avait désertée, non l'inverse.

Mais ne lui avais-je pas déjà pardonné ?

Oh ! et puis flûte à la fin, au diable ces questions auxquelles je ne pouvais répondre – ni ne voulais, du moins pas maintenant. Les repoussant résolument, je ramassai mes affaires éparses et me rassis. Sérier les priorités. Cecily venait en premier. Mère viendrait ensuite. Puis, en troisième position, le tibia du général d'armée, dont ce dernier n'avait sans doute pas un besoin urgentissime.

Bon. Et à présent, concernant lady Cecily, que savais-je de la situation, très exactement ?

Très exactement, trois fois rien.

Bien. Que pouvais-je au moins supposer ? Je commençai à griffonner :

— Sa mère est provisoirement retirée du monde. Malade ? En attente d'un heureux événement ? (Il est impensable que lady Theodora approuve un mariage forcé.)
— Lady Cecily a été emmenée à l'écart de sa mère.
— Sans doute une initiative de sir Eustace.

Tout cela me semblait se tenir. Lorsqu'on est baronnet, et soucieux de son rang, que faire d'une fille de seize ou dix-sept ans au caractère imprévisible, aux idées politiques marquées, et non seulement née gauchère, mais de surcroît dépréciée sur le marché du mariage par une triste affaire d'enlèvement, scandale étouffé mais certes point effacé ? Que faire, sinon s'empresser de la caser sans passer par l'habituel réseau des bals et des mondanités, en arrangeant un mariage confidentiel, peut-être assorti de compensation financière, dot ou avantage en nature ?

Autre probabilité : les deux matrones que j'avais vues avec Cecily en avaient la garde provisoire. C'étaient donc bien elles qu'il me fallait identifier et localiser. Mon crayon se remit à danser :

– *Ses gardiennes semblaient de la haute société (élégance et quant-à-soi).*

– *Leur façon de s'adresser à elle laisse supposer un lien de parenté.*

– *Elles sont toutes trois montées dans un fiacre, numéro ???*

– *Cecily a dû recevoir son éventail de papier à l'occasion d'un thé rose. Celui de la vicomtesse d'Inglethorpe ?*

Rien de tout cela ne m'avançait beaucoup.

Mais c'était trop bête, à la fin, d'avoir oublié ce numéro de fiacre ! Par bonheur, j'avais enregistré le nom de la vicomtesse. Inglethorpe. Ce patronyme était à présent le seul indice auquel me raccrocher.

À propos, peut-être l'une de ces revues à potins avait-elle publié quelques lignes au sujet du fameux thé rose ? Peut-être les deux duègnes y avaient-elles escorté lady Cecily ? Peut-être l'article fournissait-il la liste des invités ?

Cela faisait beaucoup de peut-être, et lorsque mes yeux se posèrent sur la pile de magazines, je capitulai. Me replonger dans ces inanités ? D'ailleurs, même si j'y trouvais ce que je recherchais, comment faire ensuite pour reconnaître, parmi une litanie de noms, ceux des mégères en question ? Sans compter que je pouvais fort bien éplucher ces damnées revues durant des heures sans rien trouver. Après tout, une vicomtesse était peu de chose au regard d'une duchesse, ou même d'une comtesse. Peut-être aucun reporter mondain n'avait-il jugé bon de…

Une idée me traversa l'esprit, avec tant de force qu'une seconde ou deux j'en oubliai de respirer. J'examinai l'idée un instant. Puis je repris mon souffle ; il fallait tenter l'aventure.

J'ignorais parfaitement à quoi pouvait ressembler une journaliste mondaine, mais était-ce si difficile à imaginer ? Une femme cultivée mais sans grands moyens, une célibataire bien élevée, un peu comme une gouvernante, et comme elle contrainte de gagner sa vie en attendant l'hypothétique mari. Vêtue très sobrement, à coup sûr, et sans doute pas de toilettes flambant neuves. Quelqu'un qu'on regardait d'un peu haut, encore qu'avec bienveillance.

Sans plus hésiter, je décrochai mon ensemble de tweed marron, souverainement passe-partout, élimé juste ce qu'il fallait. Ayant sauté le déjeuner, je devais avoir encore le temps…

Une heure plus tard, vêtue de l'ensemble susdit, dûment gantée et chapeautée, avec voilette estompant mes traits, je me présentai au domicile londonien du vicomte d'Inglethorpe, un carnet de sténographe à la main.

Un majordome façon soldat de plomb finit par venir m'ouvrir et je lui annonçai d'un trait : « Miss Smith, de la *Gazette des dames.* » J'avais compulsé suffisamment de numéros de cette respectable publication pour me sentir en terrain presque sûr : nulle part je n'y avais vu mention du nom d'Inglethorpe. « On m'a demandé de voir si je ne pouvais pas rédiger un petit article sur le thé rose de la vicomtesse.

– Vous venez bien tard, non ? grogna le majordome. C'était la semaine passée. »

Quand on ne sait que dire, le mieux est de se taire. Je répondis d'un humble sourire.

Il fronça ses gros sourcils. « Vous n'avez pas de carte ?

– Je suis nouvelle, improvisai-je. Ils n'ont pas encore imprimé la mienne.

– Ah. Ils envoient une novice. Avec une semaine de retard. »

Son amertume me plaisait fort. Elle laissait entendre que j'avais vu juste : madame la vicomtesse d'Inglethorpe ne demandait pas mieux que de figurer dans la presse mondaine ; madame la vicomtesse s'estimait dédaignée, et toute sa maisonnée, personnel compris, partageait ce ressentiment.

Je réprimai un sourire. Quelque chose me disait que j'allais être reçue ; la vanité n'est pas du genre à laisser les occasions se perdre.

De fait, tandis que le majordome gagnait l'étage pour consulter sa patronne, la gouvernante, une aimable miss Dawson, m'introduisait dans le salon de jour, celui-là même où avait eu lieu la réception en rose.

« Nous avons tout laissé tel quel, m'expliquait-elle. Sauf les fleurs, bien évidemment. Et nous laisserons ce salon ainsi jusqu'à la prochaine réception, car Madame s'est donné tant de peine pour le décorer, et elle est si heureuse de l'effet produit… »

Je ne dirai pas que l'effet produit m'inspirait à moi des oh et des ah : je me serais crue dans le pis d'une vache. Jusqu'alors, il ne me semblait pas avoir eu de préjugés envers le rose, mais face à pareille orgie, je le pris en grippe sur-le-champ. Tout était rose, de tous les tons de rose – depuis les rideaux, lambrequins compris, jusqu'aux tapis de table et jetés de fauteuil, en passant par les tentures aux murs.

Pour reprendre mes esprits et dissimuler un petit plissement de nez bien involontaire, j'ouvris mon carnet et me mis en devoir de prendre des notes : guirlandes de gros-grain vieux rose sur les cadres et les lambris ; vélum de tulle rose crevette au plafond ; lanternes japonaises rose foie de veau avec suspensions confectionnées au crochet rose buvard…

« Les gâteaux étaient à la noix de coco avec glaçage blanc et rose, et les tables décorées de glace taillée – des cygnes et des petits cupidons roses. Madame la vicomtesse portait une robe d'après-midi rose cyclamen, qu'elle avait fait venir de France, et nous autres portions toutes une coiffe rose et un tablier rose, faits tout exprès pour l'occasion. Vous n'imaginez pas, avec les chandelles roses et tout, c'était le pays des fées, ici ! »

Toutes sortes de perfidies me brûlaient la langue, mais je m'enquis suavement, griffonnant toujours : « Et comme fleurs ?

– Oh ! des roses à foison, roses, énormes, superbes, et pour les messieurs, à la boutonnière, de petites roses en bouton. Blanches, il va de soi, mais c'étaient des "roses", n'est-ce pas ?

– Subtil, dis-je, forçant un sourire.

– L'idée venait de Madame. Et, en cadeau, chacune des dames recevait un éventail de papier rose, et chacun des messieurs un haut-de-forme en papier rose aussi, bien évidemment.

– Amusant.

– Oh ! ce fut une réception très gaie ; tous les invités se sont dits ravis. »

Je saisis ma chance : « Et qui étaient-ils ?

– Jacobs est allé demander à Madame si elle l'autorise à vous fournir une copie de la liste. Allons-nous voir s'il est redescendu ?

– Bien volontiers. »

J'y mis trop d'empressement, je le crains, mais cette pièce produisait sur moi l'effet d'un excès de fruits au sirop. De retour dans le hall d'entrée, décoré de façon plus sobre, je me sentis tout de suite mieux.

Mais un coup d'œil au salon d'en face, dont la porte était grande ouverte, me fit chavirer derechef.

« Splendide, n'est-ce pas ? » me prit à témoin la gouvernante, suivant mon regard.

Au fond de la grande salle, au-dessus de la cheminée, trônait un immense tableau encadré de dorures rococo. On y voyait, grandeur nature, une dame bien en chair gracieusement alanguie sur une méridienne de velours sombre, tenant sur ses genoux un gros chat angora dont la blancheur tranchait sur le rouge cramoisi de sa robe chatoyante, la plus élaborée qu'il m'eût été donné de voir. La pensée me traversa l'esprit qu'un matou n'avait guère sa place au milieu de bibelots précieux ; d'un autre côté, l'opulence permet de n'en être pas à un vase de cristal près, et les domestiques sont là, n'est-ce pas, pour retirer les poils qui traînent. D'ailleurs, c'est un autre détail qui rivetait mon attention : les traits de la dame. Singulièrement fins malgré un double menton que n'avait pas totalement gommé le peintre…

Dans quelle gueule de loup m'étais-je jetée là ?

Mais déjà le majordome annonçait dans mon dos : « Lady Otelia Thoroughfinch, vicomtesse d'Inglethorpe, accepte de vous recevoir dans son salon privé. »

CHAPITRE VII

Grands dieux ! La vicomtesse en personne.

Une irrépressible envie de fuir me prit – quoique irrépressible, non, puisque je lui résistai. Mais juste ciel ! Et si madame me reconnaissait ? Et si elle comprenait que, loin d'être diligentée par la *Gazette des dames*, j'étais bel et bien en train de fourrer mon long nez dans ce qui ne me regardait pas ? Et si ce long nez lui rappelait quelque chose ? Et si elle soupçonnait que certain éventail rose avait pu me mettre sur la piste de…

L'espace d'une seconde, ces terrifiantes pensées se télescopèrent dans mon esprit, mais je pivotai, docile, pour suivre le majordome à l'étage. En pareil cas, je remercie le ciel de m'avoir dotée d'un père si épris de logique que sa bibliothèque – explorée par moi en partie – regorgeait d'ouvrages sur l'art de raisonner. Ce que je m'efforçai de faire, pour endiguer la panique.

Fait avéré : la vicomtesse d'Inglethorpe et moi nous sommes trouvées ensemble en même temps dans les toilettes

*publiques pour dames d'Oxford Street. Déduction : il s'en-
suit qu'elle me reconnaîtra. Objection : pas nécessairement.*

*Supposition : elle m'a remarquée, elle me reconnaîtra.
Déduction : elle en conclura que je ne suis PAS journaliste
à la Gazette des dames. Objection : et pourquoi donc ? Les
journalistes aussi vont aux toilettes.*

Mais juste comme ces ruminations, à défaut d'être
convaincantes, commençaient à produire leurs effets
calmants, et juste comme je mettais le pied sur le
palier de l'étage, des bruits se firent entendre au rez-
de-chaussée, du côté de l'entrée, où une porte s'ou-
vrait à la volée tandis qu'une voix masculine rugissait :
« Haha ! »

J'en sursautai comme un lapin pris au lacet. *Haha ?*
On aurait juré le bonhomme au mastiff ! Mais c'était
impensable ! Mon esprit, éperdu, cherchait un lien
logique…

« Haha ! Nous y voilà ! »

Le majordome, aussi impassible que l'exigeait sa
fonction, n'en semblait pas moins un peu saisi lui-
même. « Veuillez m'excuser, miss », marmonna-t-il,
et il redescendit l'escalier. Aussitôt, j'allongeai le cou
par-dessus la balustrade du palier.

« Avancez ! Bien en rang ! Haha ! Et regardez un
peu. Ça vous en bouche un coin, pas vrai ? »

Nom d'une pipe en bois! C'était lui, je le voyais à présent: cette silhouette massive, oui, c'était le charmant olibrius qui avait parlé de me laisser pourrir au fond de son saut-de-loup. L'homme au haha! Il s'avançait dans le hall d'entrée, corpulent mais bien mis dans sa veste de chasse et ses guêtres crème. La mâchoire dédaigneuse, il souriait de haut à la petite cohorte entrée sur ses talons: un groupe de gamines en rang par deux, des orphelines à l'évidence, comme le clamaient leurs sarraus marron et leurs cheveux coupés au carré (pour mieux lutter contre les poux), si courts qu'on aurait à peine dit des filles, malgré leurs petites charlottes volantées.

Le majordome s'approcha de l'arrivant et, s'inclinant gravement, lui murmura quelque chose.

«Juste une petite visite, pour distraire ces demoiselles! éclata l'inconnu en réponse. C'est interdit, peut-être?»

Et, de mon poste d'observation, derrière les balustres, je vis avec fascination son crâne à moitié dégarni virer au rouge homard. Apparemment, le majordome avait contesté – oh! avec le plus grand respect – la pertinence de sa présence ici ou le bien-fondé de la visite guidée.

«On regarde, mais on ne touche pas!» prévint

sèchement, en queue de cortège, une femme entre deux âges – une maîtresse de l'orphelinat sans l'ombre d'une hésitation, à en juger par sa raideur amidonnée, sa robe austère et ce bonnet de coton blanc en clochette de muguet, à bord volanté. Je me promis mentalement de la dessiner dès que possible, droite et raide comme un arbre mort, avec cette cloche au sommet.

« Dois-je prévenir madame la vicomtesse ? » s'informa le majordome.

S'informait-il vraiment ? Ou était-ce une manière d'avertissement ?

« Pas la peine ! s'écria l'autre. Juste le temps de montrer à ces braves petites ce qui les attend – si elles entrent en service chez moi, haha ! » Chez lui ? Je n'y comprenais plus rien. « Par ici, vous autres ! »

Et il poursuivit à longues enjambées. Les orphelines suivirent d'un pas incertain, au coude à coude, chacune cramponnée à sa voisine. Leur surveillante fermait la marche et je vis ce groupe improbable disparaître dans les profondeurs du rez-de-chaussée, sous l'escalier du haut duquel j'observais la scène. J'avais beau savoir que l'homme au haha ne m'avait pas vue, et qu'il ne m'aurait pas reconnue de toute manière, mon cœur battait la chamade. Et si l'adage dit vrai, si les dames ne suent jamais, ni ne transpirent, qu'elles rougissent seulement, alors je crois que ma personne s'était tout entière changée en fanal de locomotive.

Le majordome regagna l'étage, impavide, et je me gardai bien de lui demander qui était ce visiteur. En fait, je ne pipai pas mot.

Non sans regret, je me détachai de la balustrade. L'instant fatidique avait sonné. Sans un mot pour moi, le majordome frappa à une porte et, d'un semblant de courbette, me convia à le rejoindre. « Madame, annonça-t-il en poussant le battant, cette euh, cette femme des journaux dont je vous ai parlé. »

Manifestement, mettre sa patronne au courant de l'invasion du rez-de-chaussée n'était pas dans ses intentions, du moins pas pour le moment ni en ma présence.

« Entendu. Qu'elle entre. »

D'un geste autoritaire, la vicomtesse me convia à l'intérieur, mais son regard ne fit que glisser sur moi, grâce au ciel. Au bout de quelques secondes, je parvins à reprendre mon souffle et un début de sérénité. Madame ne m'invita pas à m'asseoir, il va de soi. Une petite journaliste, et qui ne faisait que passer… Elle ne me laissa pas non plus la moindre chance de l'interroger ; elle prit l'initiative : « Avant tout, que je vous montre ce que je portais, à ce thé rose… »

Comme sur un signal, une femme de chambre surgit, portant avec respect, sur ses avant-bras tendus, un ruissellement d'étoffe rose vif.

« C'est une robe Worth », m'informa la vicomtesse et elle enchaîna, lisant à voix haute ce qui semblait être un programme de fête : « Cette irrésistible robe d'après-midi est confectionnée dans un taffetas pompadour d'un ton rose exquis, avec des plis à godets d'une grâce infinie et un… Prenez des notes ! Que tout cela soit fidèlement reporté. »

Docile, je me mis à griffonner, non sans me faire la réflexion que l'actuelle robe de la vicomtesse, en damas vert jade, n'était pas moins sophistiquée. À mes yeux, c'était là une tenue digne de paraître devant la reine en personne. À l'évidence, la vicomtesse d'Inglethorpe avait une haute opinion d'elle-même.

« … avec ruché de tulle au décolleté, par-dessus un feston de satin bordé de perles et un double rang de perles roses – très rares – partant du buste, sur la droite, pour venir draper le côté droit de la jupe, maintenu en place par une agrafe d'or rose inspirée des sibylles créées par Michel-Ange pour la chapelle Sixtine. Avez-vous bien tout noté ?

– Oui, madame, mentis-je. Et euh… puis-je vous demander les noms des invités, madame ? » À présent que je savais qui était la vicomtesse, il me fallait l'identité de la seconde ogresse, celle qui l'avait aidée à encadrer lady Cecily. Sa présence à ce thé rose me semblait hautement probable.

« Oh ! mais naturellement. Tenez, j'ai la liste ici. Il y avait la comtesse de Woodcrock, bien sûr. » (C'était dit d'un ton si désinvolte que le doute n'était pas permis : ladite comtesse avait été l'invitée de marque à ce thé.) « … lady Dinah Woodcrock ; par malchance, le comte Thaddeus avait été empêché. Il y avait les trois filles du comte de Throstlebine, les honorables Ermengarde, Ermentrude et Ermenine Crowe, escortées de… »

La liste n'en finissait plus ; je griffonnais à toute allure, désespérant de pouvoir tirer quelque chose de tous ces noms.

« … et la baronne Merganser, lady Aquilla Merganser. Qui est ma sœur, comme vous le savez sans doute.

– Ah bon ? »

Comment l'amener à en dire plus long ? Cette sœur lui ressemblait-elle, par exemple ? Lady Aquilla Merganser était-elle…

Mais elle compléta d'elle-même, baissant le ton : « Oui, Aquilla s'est mariée un peu au-dessous de sa condition, je le crains. » (Ce qui ne valait pas pareil soupir à mon sens, un vicomte n'ayant nulle raison d'être meilleur homme qu'un baron, mais passons.) « Ce jour-là, son mari n'avait pu venir, mais elle était accompagnée de leur fils, Bramwell, et de la fiancée de ce dernier, l'honorable Cecily Alistair. »

Mon crayon en dérapa. Nous y étions donc ! L'une des duègnes était la vicomtesse, l'autre à peu près sûrement sa sœur Aquilla, laquelle avait un fils nommé Bramwell, à qui l'infortunée lady Cecily était promise. Réfrénant mon excitation, je bredouillai en griffonnant les noms : « Très jolie jeune fille, je suppose ?

– Elle pourrait l'être, si elle s'en donnait la peine. Mais c'est une enfant gâtée, je dois dire. Gâtée pourrie, et sans aucune maturité. » Là-dessus, sans prévenir, comme si mon intérêt pour lady Cecily avait actionné un clapet, lady Otelia se tut, se leva et me tourna le dos littéralement – j'en profitai pour relever que son postérieur était légèrement dissymétrique, la fesse droite plus haute que la gauche, sans doute pour avoir beaucoup chevauché en amazone. Je souris à part moi.

Elle me jeta un regard par-dessus son épaule et conclut avec un geste vague : « Ce sera tout.

– Bien, madame. » J'esquissai une révérence à l'intention de son dos. « Merci, madame. »

Le majordome me raccompagna au rez-de-chaussée

avec une raideur martiale. J'aurais donné cher pour savoir si les orphelines avaient quitté les lieux. Mais je n'osai y faire allusion, ayant une autre requête à formuler. Au bas de l'escalier, je demandai poliment si je pouvais toucher un dernier mot à miss Dawson, la gouvernante. « Oh ! très brièvement, précisai-je d'une petite voix sucrée. Juste pour conclure, et la remercier de son amabilité. »

Avec une indifférence hautaine, Jacobs s'inclina sans mot dire. Peu après, j'étais assise dans le petit salon des domestiques en compagnie de l'affable miss Dawson, plus disposée que sa patronne à passer en revue avec moi la fameuse liste des invités.

Glissons sur les inévitables commérages qui nous amenèrent enfin aux informations désirées. Il me fallut encourager de longues « confidences » avant de me risquer à un brin de curiosité concernant la vicomtesse Otelia et sa sœur lady Aquilla.

« Oh ! pour sûr, déclara cette brave miss Dawson, elles se ressemblent comme deux gouttes d'eau. »

Parfait. Comme je l'avais soupçonné, c'était bien la baronne Aquilla que j'avais vue en compagnie de la vicomtesse et de lady Cecily dans les toilettes pour dames d'Oxford Street.

Pauvre Cecily ! Grâce à Bramwell Merganser,

rejeton de cette Aquilla, elle allait se retrouver sous la coupe de ces deux charmantes mégères – du moins si je ne parvenais pas à déjouer leur plan diabolique.

J'avais beau mourir d'envie d'en savoir plus sur le futur mariage, il me fallait jouer serré, de peur d'éveiller les soupçons ; les domestiques, même loquaces, conservent une certaine loyauté à l'égard de leur employeur. Je me renfonçai dans mon siège, face à miss Dawson. « Ces dames ont-elles beaucoup d'enfants ? » demandai-je d'un ton léger, car c'était là une question naturelle et non une indiscrétion. Au bas de l'échelle sociale, une nombreuse progéniture était sans doute une malédiction, mais dans les hautes sphères de la société, on s'en faisait vertu, l'exemple étant donné par la reine Victoria elle-même, qui avait mis au monde neuf royaux rejetons.

Miss Dawson baissa la voix. « Hélas, madame la vicomtesse n'a pas de descendant vivant », me confia-t-elle avec une compassion sincère, doublée sans doute d'une certaine satisfaction : au moins, coqueluche et diphtérie n'étaient pas réservées aux humbles. « Et sur les cinq qu'a mis au monde la baronne Aquilla, un seul a atteint l'âge adulte. Si bien qu'elle l'a beaucoup trop couvé, je dois dire, ajouta-t-elle, pensive, nous resservant du thé.

« – Ah ? fis-je, impassible – et j'y avais du mérite, car à l'intérieur je piaffais. Et quel âge a-t-il ?

– La trentaine, pas loin. Et il vit toujours chez ses père et mère, à ne rien faire de ses dix doigts. Et il paraît bien décidé à ne rien faire jusqu'à la fin de ses jours, bien qu'il s'apprête à se marier.

– Oui, c'est ce que j'ai appris ! m'écriai-je d'un ton d'innocente curiosité. Et cette jeune lady Cecily Alistair, qui est-elle ?

– Oh ! une cousine. Son père, Eustace Alistair, est le frère de lady Aquilla. Et de lady Otelia, bien sûr. »

Dieux du ciel. Quel odieux arrangement ! Quoique en rien scandaleux. Les mariages entre cousins étaient pratique courante parmi les membres de la haute société ; ainsi les biens restaient-ils dans la famille.

Et marier sa fille au fils de sa sœur semblait conforme à ce que je savais de sir Eustace. Quand Cecily avait été enlevée, je m'en souvenais, il avait eu pour souci premier d'étouffer le scandale. À son retour au bercail, il avait dû voir en sa fille une source de honte bien plus qu'une victime à réconforter. La marier discrètement et sans délai devait être à ses yeux le meilleur moyen d'éviter toute disgrâce supplémentaire. Quelle dot avait-il promise aux Merganser ? J'aurais été curieuse de le savoir.

Miss Dawson attendait ma réaction. « Hmm, beau mariage, marmottai-je.

– Absolument. Très beau mariage. »

Jusqu'alors, je m'étais interdit de poser la question qui me brûlait les lèvres, question indiscrète entre toutes : qui donc était l'homme au haha ? Un gentleman assurément, à en juger par l'habit, et peut-être même de sang bleu, ayant quelque lien avec la maisonnée ? Au bout d'un moment, je n'y tins plus et tournai ainsi ma demande : « N'était-ce pas sir Eustace, par hasard, qui guidait ces orphelines si gentiment, tout à l'heure ? »

Las ! j'avais atteint les limites de ce que miss Dawson s'estimait en droit de me révéler. Elle parut franchement gênée. « Non, certes non, ce n'était pas sir Eustace ! Et pour ce qui est d'introduire ici ces petites… ces pauvres gamines du commun, qui plus est sans s'annoncer… Je… Mais ce n'est pas à moi de commenter ce genre de choses. Vous ne m'en voudrez pas, j'en suis sûre. »

CHAPITRE VIII

C'est en émoi que je regagnai le bureau du Dr Ragostin. Pauvre Cecily, éprise d'idéal, de beauté vraie,
de liberté ! Je devinais ce qu'elle devait ressentir en
voyant le monde entier se coaliser pour la mettre
au pas. Je savais ce que c'était que d'être d'âge trop
tendre, et de sexe féminin de surcroît, donc à la merci
de tuteurs légaux et forcée de leur obéir. Seule l'ingéniosité de ma mère m'avait donné ma liberté.

Mais comment libérer lady Cecily ? Sitôt mes
lampes allumées, je ne fis qu'un bond jusqu'à mes
rayonnages et j'empoignai le *Boyles*, indispensable
guide du monde de l'aristocratie. M'être passée de
déjeuner me mettait à cran, mais j'étais têtue ; je ne
rentrerais pas dîner tant que je n'aurais pas tiré au
clair divers points. Je m'assis donc et ouvris le précieux
bottin mondain, cherchant d'abord Inglethorpe, puis
Merganser, puis divers autres noms, jusqu'à parvenir,
de fil en aiguille, à reconstituer le déroulement de
l'histoire de famille qui m'intéressait.

Le père d'Eustace, d'Aquilla et d'Otelia n'avait été, je le découvris, qu'un baronnet des plus modestes, sir Dorian Alistair – ni lord ni même membre de la pairie. Mieux, ses moyens n'avaient pas été à la hauteur de ses aspirations. Cependant, sa femme et lui s'en étaient fort bien tirés pour ce qui était de lancer leurs filles dans le monde, et Otelia comme Aquilla s'étaient révélées pourvues de suffisamment de grâce et de charme (malgré mon scepticisme quant à ce dernier point) pour trouver à se marier nettement au-dessus de leur condition, contrairement aux dires de la vicomtesse. De son côté, Eustace s'en était fort bien tiré aussi en épousant lady Theodora, richement dotée.

Le *Boyles* ne m'en apprenait guère plus, mais je savais également, pour avoir rendu visite à lady Theodora, que le couple Alistair avait eu des enfants tenant plus, la providence aidant, de leur mère que de leur père. Et je savais, de surcroît, que lady Cecily ne partageait pas les vues paternelles concernant les classes défavorisées (irrécupérables par définition, selon lui) ni la nature de la société (une échelle à gravir en visant les sommets), et moins encore le rôle de la femme (née pour obéir).

Je me demandais si ce cousin à qui Cecily se retrouvait promise était du même bois que le baronnet, peu ou prou. Si tel était le cas, quelle cruauté ! Mais trêve de ruminations ; une seule question valait : où était-elle ? « Sous clé et au pain sec », mais où ? Le *Boyles* m'indiquait l'adresse londonienne du baron Merganser, et il semblait logique de commencer par là. Sans tarder.

Changer de tenue et d'apparence, c'est bien joli, mais cela prend du temps ; un temps qui parfois manque, surtout lorsqu'on décide d'aller jeter un coup d'œil à une adresse inconnue alors que le jour décline déjà. Tant pis. Pas d'atermoiements, le tweed marron que j'avais sur le dos ferait l'affaire. Il était assez sombre pour une expédition vespérale, ainsi que mes bottines brunes. La seule chose un peu claire qui risquait de me faire repérer entre chien et loup était mon petit col blanc, mais il serait toujours temps de l'enlever sur place. Forte de ces raisonnements, je ne m'attardai que le temps de réunir quelques accessoires pouvant se révéler utiles et de les jeter dans mon fourre-tout.

Sac à l'épaule, je hélai un fiacre. « Oakley Street, dis-je au cocher, et une fois là-bas, allez au pas. » Je grimaçai intérieurement à l'annonce du prix de la course, mais avais-je le choix ? Et ce véhicule me permettrait de voir sans être vue.

Ce qui valait mieux, car j'eus un choc lorsque, entre les rideaux, j'aperçus la demeure en question.

M'étais-je trompée d'adresse ? Non ; le numéro était gravé sur le pilier de la grande grille de fer forgé, derrière laquelle, au fond d'un jardin bordé de hêtres, se dressait une imposante bâtisse. Des hêtres… Oui, dans mon souvenir, il y avait eu des hêtres. Je revoyais en pensée leur ramure étalée.

Mais peut-être n'était-ce là que l'un de ces faux souvenirs que, parfois, on s'invente ? Deux ou trois rues plus loin, je signalai au cocher de faire halte, puis je le priai de tourner bride et de repartir au pas.

Il me fallait un second regard.

Lequel, à mon regret, confirma le verdict du premier : la demeure londonienne du baron Merganser – énorme bâtisse néogothique, tout hérissée de gables pointus, avec inévitables gargouilles – n'était autre que celle où, en chiffonnière, je m'étais retrouvée face à un paroissien peu avenant, à son mastiff guère plus aimable et, détail insolite entre tous, à un saut-de-loup pareil à ceux dont s'entourent les grands domaines campagnards.

Et aussitôt, j'eus un autre choc. Cet homme revu ce jour même, vêtu comme un lord et escorté d'orphelines en sarrau – ce qui aurait pu et dû le rendre sympathique, mais n'y parvenait pas –, cet homme au haha, je devinais à présent qui il était.

Examinant sous tous les angles les données dont je disposais, je sentis une immense fatigue m'envahir, doublée d'un incoercible désir de rentrer à la maison.

Au lieu de quoi, je priai mon cocher de me conduire à Covent Garden et là, au coin d'une rue animée, je descendis et pris congé de lui. À un vendeur ambulant j'achetai un verre de citron pressé, une poignée de biscuits à croquer en chemin, et je reconstituai un peu mes forces tout en réfléchissant à la conduite à suivre.

Un peu plus loin, je trouvai une boucherie encore ouverte, ou plutôt en train de fermer, où j'achetai à prix d'or un bel os à moelle généreusement enrobé de viande fraîche, de gras et de cartilage.

Il devait y avoir là, espérais-je tout en fourrant la chose au fond de mon sac, dûment emballée de papier brun, de quoi distraire le mastiff un moment, tandis que j'accomplirais la suite de mon plan.

Un plan qui, je dois le dire, était encore assez flou.

Primo, enjamber la grille ; pas de problème. *Secundo*, franchir le saut-de-loup ; déjà plus délicat, mais j'avais ma petite idée : après un fiasco récent, qui m'avait vue jouer les monte-en-l'air et finir en chute libre à travers le vitrage d'une serre, j'avais fait l'emplette d'une bonne longueur de corde et je m'étais promis de ne plus rien entreprendre sans cet accessoire. Grâce à cette corde, pour l'heure enroulée au fond de mon sac sous l'os à moelle, je comptais sur mon expérience du jeu de saute-rivière, acquise durant mes vertes années, pour improviser quelque chose…

Fort bien, mais *tertio* ? *Tertio*, me disais-je tout en montant dans la rame de métro qui allait me ramener vers cette destination fatale, *tertio*, il resterait à imaginer comment m'introduire dans la place, trouver où était tenue captive Cecily, la délivrer, l'emmener avec moi. Et pendant tout ce temps-là, le mastiff – comment s'appelait-il, déjà ? Ah oui, Lucifer –, pendant ce temps, Lucifer rongerait son os bien gentiment ? Bonté divine ! J'étais en plein délire.

Mais je ne pouvais pas renoncer, et je n'avais pas non plus de solution de rechange.

Plus tard, beaucoup plus tard, assez pour raisonnablement supposer que tous les honnêtes gens étaient au lit, lorsque les rues se firent silencieuses et ne résonnèrent plus, de loin en loin, que du pas cadencé d'un constable effectuant sa ronde, je me faufilai jusqu'à certain mur de pierre, derrière certaine remise. Là, je déballai l'os à pot-au-feu et le lançai vigoureusement, à travers les barreaux de la grille, dans le jardin Merganser. À ma satisfaction, il alla atterrir non loin du but visé, cette petite forme sombre qui semblait être la niche.

Je m'attendais à voir l'occupant du lieu jaillir à grands bonds et sans doute lancer un jappement furieux avant de découvrir son bonheur, mais rien ne vint, ni chien ni jappement. Silence absolu. Comme la fois précédente, des becs de gaz éclairaient l'entrée de la demeure – quelle dépense insensée ! – et j'en profitai pour scruter les alentours, m'attendant toujours, d'une seconde à l'autre, à voir jaillir le mastiff. Mais décidément non, pas de chien.

Hum.

Était-il par hasard assoupi dans son antre ? Et si oui, comment jauger la profondeur d'un sommeil canin ? Mais je n'avais pas le choix : il me fallait poursuivre. Tout doux, je gagnai l'ombre noire, juste derrière la remise, accrochai mon sac à ma ceinture, retroussai mes jupons, me hissai sur le mur et escaladai la grille.

Et hop ! en douceur, j'atterris de l'autre côté. Toujours rien. Ni hauts cris de valet ni aboiements furieux.

Mais loin d'apaiser mes craintes, ce silence les exacerba. Il avait tout du parfait piège.

Pourtant, que faire ? Reculer ? N'était-ce pas tout aussi risqué ? Non, une seule option : aller de l'avant.

Et d'abord franchir ce saut-de-loup.

Avant de me risquer hors de l'ombre, je me pliai en deux, tel le braconnier en terre interdite, et gagnai le bord du fossé, retenant mon souffle, à l'affût de tout ce qui pouvait troubler la nuit.

Quelque part au loin, le pas d'un cheval sonnait sur le pavé, des roues crissaient. Quelque part ailleurs, une porte grinçait, sans doute celle d'un cabinet d'aisance au fond d'un jardin. Le temps d'une bourrasque, un bruissement de feuilles couvrit le tout, puis le silence revint. Le silence suspect.

Jusqu'au moment où, à trois pas de là, un chuchotis me glaça le sang – une voix qui pestait tout bas. « Sacré nom de d'la… » me sembla-t-il distinguer, puis les hêtres bruirent de nouveau, censurant la suite. Après quoi, je crus deviner un juron étouffé, derechef couvert par le vent.

Une voix d'homme. Montant du fossé.

Une voix qui ne m'était pas inconnue. Une voix que, curieusement, mon corps identifia avant même mon esprit, pétrifié de frayeur. Et mes membres, sans frayeur aucune, achevèrent de m'amener au ras de l'abrupt.

Là, à dix pieds[1] au-dessous de moi, tout au fond de la douve sombre, le marmotteur nocturne venait de gratter une allumette, sans doute pour évaluer l'étendue de son infortune, si bien que je le vis clairement. Assis par terre sur une jambe repliée, vêtu de noir, il s'était foncé le visage au bouchon brûlé, mais je le reconnus au premier regard.

Mon frère Sherlock.

---

1. Environ trois mètres.

CHAPITRE IX

Une fraction de seconde, le choc me fit la tête vide. Puis ce fut une bousculade d'émotions et de pensées, chevaux sauvages pris de panique. Pourtant, je dois l'admettre, un sentiment se détachait des autres : une jubilation absolue – ainsi chutent les puissants.

Mais déjà la flammèche dévorant l'allumette commençait de lui brûler les doigts. Il rejeta celle-ci en marmonnant un mot que je ne répéterai pas, et moi, dans la nuit, au-dessus de sa tête, je susurrai très bas : « En voilà, un langage ! »

Dans la pénombre, je le vis faire un petit saut de carpe qui me ravit. « Qui va là ? murmura-t-il, levant la tête et la voix.

– Chhhut ! soufflai-je, ma jubilation retombant pour laisser place à l'effroi. Vous allez alerter le chien.

– Mais qui est là ? insista-t-il, plus bas, en alerte. Bridget ?

– Est-ce que j'ai une voix d'Irlandaise ? » Ma tête

recommençait à fonctionner. « Et qu'avez-vous fait du mastiff ?

– … servi un peu de bœuf haché à la sauce somnifère… »

Tout en parlant, il grattait une nouvelle allumette et la tendait à bout de bras dans l'espoir de distinguer mes traits. Contre toute attente, il ne se relevait pas. Je m'avisai alors qu'il avait déchaussé son pied droit et le tenait devant lui, comme pour l'examiner – comme s'il s'était foulé ou luxé quelque chose.

« Oh ! vous vous êtes fait mal ! » m'écriai-je à mi-voix, oubliant tout le reste.

Aussitôt, il glapit : « Enola ? » Il avait reconnu sinon mes traits dans l'ombre, du moins ma voix, hélas assez identifiable.

« Chhhut ! » répétai-je. Déjà, je dénouais le sac à ma taille. Puis je me ravisai et plongeai plutôt la main dans mon corset.

« Enola, mais enfin, que diantre… Vous surgissez partout. Qu'est-ce q…

– On pourrait en dire autant de vous et de Mycroft, toujours en travers de mon chemin. Tenez, attrapez ça ! » Je déroulai vers lui une bonne longueur de bande de crêpe. « Vous allez pouvoir panser votre pied… Ou plutôt, attendez… » Je remontai la bande de crêpe et enroulai à l'intérieur un petit flacon d'eau-de-vie. «Je vous envoie un peu de cordial, en prime. Attention, il est dans la bande, il va falloir attraper. Cela devrait atténuer la douleur. Je vous mets aussi des petits ciseaux…

– Merci non, pas de ciseaux, j'ai mon canif. Je n'ai besoin de rien d'autre, croyez-moi. » La seconde allumette éteinte, je ne voyais plus ses traits, mais il y avait comme une pointe de rire dans sa voix. «À moins que vous n'ayez une échelle au fond d'une poche ?

– Justement, oui, ou quasi. »

J'avais bien ma précieuse corde, emportée pour… Mais à ce propos, misère ! À qui porter secours en premier ? à mon frère ? ou à Cecily ? M'attarder auprès de Sherlock, je n'aurais pas demandé mieux, tant il me semblait qu'avec lui je devais pouvoir très vite atteindre un honnête niveau de confiance, ce qui était beaucoup plus que je n'aurais su dire de Mycroft. J'aurais tant voulu expliquer à Sherlock pourquoi je les fuyais, tous les deux : par refus de me faire corseter, au propre comme au figuré, par refus de me couler dans le moule des conventions féminines. J'aurais tant voulu lui dire mon admiration pour lui, et aussi lui demander s'il avait trouvé quelque message pour moi de la part de notre mère, lorsqu'il était retourné à Ferndell. L'occasion semblait idéale : converser avec lui sans risquer la capture, qui pouvait dire si cette chance se représenterait ? Oui, mais voilà – et j'en aurais pleuré de rage –, une fois de plus, le temps manquait. La situation de lady Cecily était d'une tout autre urgence !

Repoussant toute velléité de confidence, je demandai plutôt : « C'est lady Theodora qui vous a engagé ?

– Comment diable êtes-vous si bien informée ? »

C'était donc elle. Voilà qui confirmait mon espoir : Theodora Alistair s'opposait bien à ce mariage.

« J'en étais sûre ! chuchotai-je avec force. Je le savais, qu'une mère comme elle… » C'est alors qu'un doute me vint. « Mais… elle a pu entrer en contact avec vous ?

– Vous semblez au courant de toute l'affaire, marmotta Sherlock du fond de son fossé, sifflant de douleur entre ses dents tandis qu'il bandait son pied. À votre avis ?

– Ce que je crois, c'est que sir Eustace l'oblige à garder la chambre. Comment a-t-elle trouvé le moyen…

– Tirez vos propres conclusions.

– Je dirais que sir Eustace a séparé la mère de la fille, et que la fille est enfermée ici. Ce que semble indiquer votre présence…

– Et la vôtre.

– Avez-vous arrangé quelque chose ? Lady Cecily attend votre venue ?

– Attend-elle la vôtre ? »

C'était dit d'un ton rogue ; je rétorquai de même : « Répondez-moi, au moins ! Quelque chose est-il prévu ? »

Il y eut un silence. Notre échange chuchoté semblait avoir pris fin. Puis mon aîné admit très bas : « Non. Rien n'est prévu. Je ne suis même pas parvenu à entrer en contact avec lady Cecily. Enola…

– Mais vous êtes certain qu'elle est retenue ici.

– Sur ce point-là, il n'y a guère de doute. D'ailleurs, ils la sortent tous les jours dans un landau[1], pour lui faire prendre l'air.

– Ah ? Bizarre.

– Oui, moi aussi, je suis un peu surpris de les voir courir le risque d'une évasion. Mais peut-être qu'une entrave quelconque, cachée sous ses vêtements, lui interdit d'essayer seulement.

---

1. Voiture hippomobile à quatre roues, dont la double capote se lève et s'abaisse à volonté. (La voiture d'enfant du même nom n'a été ainsi baptisée, par analogie, qu'après disparition de la première, vers la fin des années 1920.)

– Peut-être, mais bon sang, pourquoi n'essaie-t-elle même pas d'appeler au secours ?

– Grands dieux, Enola ! La malheureuse est fille de baronnet ; elle n'a rien d'une garçonne comme vous. »

Garçonne ? Avoir l'esprit indépendant faisait donc de toute jeune femme une *garçonne* ? En tout cas, pour ce qui concernait Cecily, s'il la croyait docile et résignée, il la connaissait moins bien que moi.

« Mon cher frère, lui dis-je sans agressivité aucune, je veux bien fermer les yeux sur l'insulte, doublée d'ailleurs d'une erreur grossière. Mais puisque vous êtes ici, clairement, en vue de libérer Cecily, que diriez-vous d'unir nos efforts – si du moins vous faites serment de ne pas en profiter pour attenter à ma liberté ?

– Unir nos… vous plaisantez ?

– Est-ce moi qui suis au fond d'un trou, le pied tordu ? »

Mon ironie ne fit que l'exaspérer. « Peu importe ce qui m'arrive à moi, Enola. Vous n'avez rien à faire en ce lieu, et moins encore à cette heure-ci. Rentrez chez vous. Au lit. Où vous devriez être. »

Pareille injonction ne méritait pas réponse. Sans un mot, donc, je rouvris mon fourre-tout.

« À propos, Enola, vous avez bien un chez-vous ? Où vivez-vous, dites-moi, et de quoi ? »

Toujours sans répondre, j'extirpai ma corde du fond de mon sac, dont machinalement j'inventoriai le contenu : deux piquets de métal en tire-bouchon, à enfoncer dans le sol si besoin était, pour y attacher ladite corde ; un marteau attendrisseur à viande pouvant faire aussi bien marteau qu'arme de défense ; un maillet de croquet au manche raccourci, et deux ou trois autres ustensiles. Je soulevai le sac pour le soupeser. Oui ; il devait peser assez lourd. Je le palpai ; la rigidité me semblait parfaite, aussi.

« Est-ce qu'au moins quelque adulte sérieux et respectable veille sur vous ? »

Je refermai mon sac, puis, d'un double nœud, j'y arrimai l'une des extrémités de la corde. Après quoi, je déroulai au sol une bonne longueur de cette même corde, puis passai l'extrémité restante à ma ceinture, en une large boucle, de manière à ne pas risquer de la perdre tout en restant en mesure de m'en défaire à tout moment.

« Parce que, sans cela, Enola, vous n'êtes pas en sécurité. Une jeune fille ou une femme vivant seule attire le crime comme un aimant. »

Tournant le dos au saut-de-loup, je me redressai et, la corde traînant derrière moi comme une queue – une double queue, en fait, une extrémité attachée au sac et l'autre laissée libre –, je me dirigeai vers l'arbre le plus proche, enserrai le tronc à pleins bras et en entrepris l'escalade.

Ce qui n'était pas si facile.

Le hêtre est, de tous les arbres, l'un des plus hostiles au grimpeur avec son tronc raide à l'écorce lisse, sans relief, sans prise, et, sauf exception, sans branches basses. Celui-ci était bien dans la norme, son unique mérite étant d'être encore jeune, et donc d'un diamètre qui me permettait de l'embrasser solidement. Malgré tout, seule la nécessité me poussait dans ce défi – sans parler, avouons-le, d'une copieuse dose d'orgueil : ah ! j'allais montrer à Sherlock lequel de nous avait besoin d'aide et d'assistance !

Dents serrées, économisant mon souffle, je rampai en hauteur, tel un mousse cramponné à un mât trop épais – un mousse empêtré de jupons, qui plus est. De temps à autre, à ma frayeur, je redescendais d'un cran au lieu de monter et m'agrippais avec plus d'énergie encore, les paumes en feu, m'efforçant désespérément d'entamer l'écorce avec mes semelles. Ah ! pourquoi n'avions-nous pas conservé, nous autres humains, certains caractères de ces singes dont Darwin affirmait que nous descendions ?

Malgré tout, je progressais, tout mon corps brûlant

et tendu à l'extrême. Il me semblait être déjà haut, en tout cas je devais dominer le fossé de quinze à vingt pieds[1], d'après ce que je discernais dans la pénombre. Bien sûr, je n'en distinguais pas le fond, mais j'étais certaine que mon frère, s'il levait les yeux, devait pouvoir commencer à m'aper...

J'en étais là de mes pensées, presque triomphante déjà, lorsque mon crâne heurta quelque chose.

Du métal.

Mais que diable...

Le diable était bien dans le coup, je le découvris d'un bref regard vers le ciel. Juste au-dessous de la fourche où jaillissaient les premières branches, quelqu'un avait placé une collerette d'acier, tels ces jupons de grillage interdisant aux chats l'accès aux mangeoires à oiseaux – en plus grand, bien évidemment.

Rien d'étonnant si les propriétaires du lieu laissaient les arbres étendre leur ramure au-dessus du saut-de-loup !

Et moi qui avais compté me caler sur cette fourche pour déployer ma corde ! Que le diable patafiole ces gens ! Qu'il les... Mais j'avais mieux à faire que

---

1. De cinq à sept mètres environ.

jurer. Car je ne m'avouais pas vaincue. Agrippée à ce tronc par trois de mes quatre membres, je pris la corde à ma ceinture et commençai de hisser vers moi l'extrémité traînant le sac.

Bien honnêtement, je ne sais plus comment je parvins à mes fins. Chaque fois que ma main changeait de prise, je serrais cette corde entre mes dents, et tout mon corps n'était plus que tremblements, avec la terreur qu'on devine. Si je tombais… Un temps infini s'écoula avant que ce damné sac, devenu plus lourd qu'un âne mort, fût enfin à trois ou quatre pieds[1] au-dessous de moi. Il était temps. Je n'allais plus pouvoir tenir longtemps, je le sentais. Et j'avais intérêt à viser juste, car il n'y aurait sans doute pas de seconde chance.

Les yeux rivés sur la grosse branche toute proche, qui saillait dans la direction voulue et présentait une fourche idoine, je balançai le bras de manière à faire décrire un arc de cercle à mon sac, répétai le geste afin de lui donner plus d'élan, le renouvelai une troisième fois – et lâchai.

Mon sac de toile, lourd volatile, prit son vol dans la nuit, parut hésiter dans les airs, puis retomba.

---

1. Environ un mètre à un mètre vingt.

Hourra ! Hourra et merci, la providence ! La corde chevauchait à présent la branche, je n'avais plus qu'à la manier habilement pour coincer ce sac en travers de la fourche. Alors, enfin, la corde pourrait supporter mon poids.

Mais soudain, je me sentis glisser.

Cramponnée de toutes mes forces, d'un seul bras, je manœuvrai fiévreusement de l'autre, tirant cette corde à moi, regardant la masse sombre du sac pendouiller de l'autre côté…

Jamais encore, de ma vie, je n'avais atteint de la sorte la limite ultime de mes forces, et j'espère ne plus revivre l'expérience. Car d'un seul coup, sans ma permission, mes membres lâchèrent prise et je me sentis happée par le vide.

CHAPITRE X

Je faillis hurler ; il y avait de quoi. Mais quelque chose me retint. Je savais trop les conséquences qu'un cri avait toutes les chances d'entraîner.

Bref, je ne sais comment, je parvins à n'émettre qu'un gloussement étouffé.

Sans savoir comment non plus – présence d'esprit ou instinct de conservation ? –, j'eus le réflexe de ne pas lâcher la corde.

Au bout d'un centième de seconde, qui, bien sûr, me parut durer un siècle, ma chute libre se transforma en violente secousse. Mon sac s'était bel et bien calé en travers de la fourche et à présent, le souffle court, je me balançais dans les airs comme un pendule, convulsivement agrippée à cette corde.

Mais mes forces m'abandonnaient. Une fois de plus, je glissais, le long de la corde cette fois. Cependant, lorsqu'on oscille ainsi, il y a toujours moyen d'orienter le mouvement de balancier en se tordant d'un côté ou de l'autre. Et j'avais tant joué, enfant, au bout d'une corde accrochée à une branche que je sentais intuitivement comment guider ma descente. D'un coup de reins, je lançai les jambes de biais. L'instant d'après, j'atterrissais, la corde toujours entre mes mains – et c'est presque en beauté, contrôlant les choses en apparence, que je me retrouvai en petit tas dans l'herbe exactement là où je l'avais souhaité : au bord du saut-de-loup, du côté opposé à celui d'où j'étais partie.

« Enola, au nom du ciel, que fabriquez-vous ? » éclata mon frère tout bas, depuis le fond du fossé. (Si ! on peut très bien vociférer à voix basse.)

« Ça se voit, non ? » soufflai-je, un peu hors d'haleine. Il devait bien s'en douter : j'avais franchi le haha, et sitôt remise de l'exploit, je passerais à la suite du programme.

« Ce que je vois, c'est que notre mère a mis au monde une Amazone. » Était-ce une idée à moi ou se glissait-il, dans sa voix, un soupçon d'admiration ? « Enola, pourquoi ne pas m'avoir dit que vous aviez une corde ? Vite, nouez-la à l'un de ces troncs et passez-la-moi, que je m'extirpe de ce trou. »

C'était un ordre, énoncé sereinement par quelqu'un d'accoutumé à se faire obéir sans réplique. Mais je tardai à réagir, moins par défi délibéré que parce que j'avais la tête qui sonnait.

« La corde, Enola ! »

Cette fois, le ton me déplut.

« Pas maintenant, m'entendis-je répondre. Tout à l'heure, peut-être. À mon retour.

– Retour d'où ?

– De la demeure. Pour tâcher de trouver où est enfermée lady Cecily, et la libérer si je le peux. Vous n'auriez pas une idée de l'endroit où ils la séquestrent ?

– Au sommet de la tour nord, la plus inaccessible. » Le but était de me décourager, je pense, et il comprit trop tard, en me voyant m'épousseter pour passer à l'action, que le défi me galvanisait, au contraire. « Enola, vous ne pouvez pas…

– Je ne suis pas certaine de pouvoir, c'est vrai ; mais j'ai bien l'intention d'essayer.

– Ce n'est tout simplement pas faisable.

– Et pourquoi donc ? N'était-ce pas votre intention, avant de tomber dans ce piège à rats ? À propos, comment comptiez-vous faire ?

– Aidez-moi à sortir d'ici, et je vous le montrerai. Peut-être. »

Je me fis aussi douce qu'il était hargneux : « Mais d'abord, il me faut votre parole sur un point.

– Lequel ?

– Jurez-moi sur l'honneur que vous me laisserez

libre. Que vous n'essaierez pas, si peu que ce soit, de me contraindre ou de m'intercepter. »

Silence. Silence absolu.

À mes yeux, c'était bon signe. Mon frère Sherlock n'était pas homme à prêter serment à la légère. S'il me donnait sa parole, il ne la reprendrait pas. Si seulement, oh ! si seulement nous avions pu nouer des liens affectueux, sans mélange… Sous mes côtes, je reconnaissais ce frémissement familier, cette sensation qu'un grand papillon cherchait à sortir de sa chrysalide. Mon cœur cognait si fort qu'il me semblait entendre…

Entendre ses battements enfiévrés ? Fariboles, Enola !

Non, ce n'était pas mon cœur. Mais bel et bien des pas dans la nuit. Quelque part derrière moi, sur ma gauche, oui, des bruits de pas.

En provenance de la demeure. Et qui se rapprochaient de seconde en seconde.

Ma réaction fut immédiate et, je le reconnais, irrationnelle. Je lançai l'extrémité de la corde au creux du fossé, vers Sherlock, en soufflant très bas : « Chut ! Restez tapi. » Pendue à l'arbre comme elle l'était, la corde se fondait dans la nuit contre le tronc.

En principe, ni elle ni mon frère n'étaient repérables à première vue.

« … Trouve ça louche, moi, je vous le dis », grondait une grosse voix que je reconnaissais – celle qui avait terrorisé une pauvre chiffonnière, la nuit précédente, puis convié chez une vicomtesse tout un cortège d'orphelines en sarrau. « Voilà plus d'une heure que je ne l'ai pas entendu… M'étonne de lui.

– Et c'est parce que Lucifer n'aboie pas que vous me tirez du lit ? » La seconde voix, masculine aussi, était plutôt celle d'un gamin geignard. « Père, enfin !

– Suffit, Bramwell. C'est pour vous que nous prenons toutes ces précautions. »

Bramwell.

Le fils du baron Merganser. Son héritier.

Et la brute en veste de chasse était donc bien le baron en personne.

Paralysée comme le poulet face au boa, je vis les deux silhouettes émerger de l'ombre d'un arbre, chacune munie d'une canne. Celle du fils semblait plus ramassée, quoique tout aussi corpulente que celle du père. Plus qu'un gentleman, je dois dire, il m'évoquait un crapaud géant. Il en avait la démarche. Rien d'étonnant s'il fallait lui procurer une fiancée par des moyens détournés.

Père et fils marchaient droit vers la niche du mastiff et, bientôt, le baron s'écria : « Là ! Qu'est-ce que je disais ? Voyez : quelqu'un lui a jeté à manger. » Et il se pencha pour ramasser quelque chose, peut-être l'os à moelle que j'avais envoyé par-dessus la grille.

« On nous l'a empoisonné ! bêla le fils.

– Mais non, mais non, on ne vous l'a pas empoisonné, votre cher Lucifer. Endormi seulement. Entendez comme il ronfle. »

Plantés devant la niche, ils me tournaient le dos, et j'en profitai pour mettre de la distance entre eux et moi, sans bruit et à reculons, façon écrevisse, afin de ne pas les quitter des yeux.

« Exact, il ronfle. Et je devrais être en train d'en faire autant ! se lamentait le dénommé Bramwell.

– Cessez de dire des âneries ! Poison ou somnifère, c'est du pareil au même : quelqu'un essaie de s'introduire ici.

– Et alors ?

– On essaie de mettre le nez dans nos affaires !

– Et quand bien même ? Qu'ils aillent donc fouiner en haut de la tour. Tout ce qu'ils trouveront, c'est un garçon d'écurie avec des habits de fi…

– Nom de d'la ! Mais bouclez-la, quoi ! » La fureur du baron me figea. Je vis sa grande ombre se jeter vers l'autre, je crus qu'il allait en venir aux coups. «Vous allez la fermer, maintenant, Bramwell, c'est compris ?

– Oui, Père, grogna une voix rageuse mais résignée.

– Allons nous armer. Il faut faire une ronde, inspecter le terrain. Venez !

– Oui, Père. »

Et les deux ombres repartirent vers la demeure.

L'instant d'après, du coin de l'œil, je vis une autre ombre remuer sur ma droite. Sherlock, qui se hissait hors du piège en s'aidant de la corde pendue à l'arbre. Il grimpait comme un matelot – quoique un matelot rhumatisant, tant la manœuvre était laborieuse.

Et voilà, il se tenait à présent du côté opposé au mien, tout près du mur et du chemin. Prêt à repartir, probablement, ayant compris comme moi, grâce aux dires de Bramwell, que lady Cecily ne se trouvait pas dans la tour, en fin de compte. Il allait tirer sa révérence. Parfait.

J'aurais donné cher pour en faire autant, mais mieux valait, pour l'instant du moins, rester où j'étais, derrière un tronc. Avant de bouger si peu que ce fût, j'attendais de le voir parti, lui. Car je le savais rusé, et, à sa manière, au moins aussi dangereux pour moi que l'irascible baron et son charmant rejeton.

Je le regardai se redresser, sur un seul pied : le second,

affreusement voyant avec son bandage blanc, effleurait à peine le sol, parce qu'il évitait de faire porter son poids dessus.

Il était donc bien éclopé, pour finir. Il avait intérêt à disparaître sans demander son reste.

À coup sûr, il allait boitiller en direction du mur… Au lieu de quoi, je le vis s'immobiliser au pied de l'arbre, scruter la nuit dans ma direction, puis j'entendis son appel étouffé : « Enola ! »

L'abruti ! J'en serrai les poings pour me retenir de lui crier de se taire. Pourtant, dans le même temps, je sentais le grand papillon palpiter sous mes côtes.

« Enola ! Venez, que je vous envoie cette corde. Je ne pars pas sans vous. Venez. »

Ce n'étaient pas paroles en l'air, j'aurais dû m'en douter dès le début. En vrai gentleman qu'il était, il n'allait pas m'abandonner – quitte à me compliquer les choses encore un peu plus.

Pestant tout bas, je défis d'un coup sec les nœuds faits à mes jupons pour les raccourcir. Ah ! c'était bien le moment de s'encombrer de ce genre d'embarras. Sans compter que pour ce qu'on y voyait… Malgré tout, je ne voulais pas me présenter devant mon aîné dans une tenue indécente. Labourée par les plus étranges émotions, j'allai me planter en face de lui, de l'autre côté du saut-de-loup, ma jupe de tweed passablement fripée mais couvrant mes chevilles comme il se devait.

Scrutant la nuit par-dessus la fosse, je tentai, en vain, de distinguer ses traits. Mais lui ne perdit pas une seconde. « Vite, Enola ! » Et, d'un geste énergique, il me renvoya la corde.

Je l'attrapai – de justesse –, sans pour autant faire mine de sauter. Je quêtais une indication, un signe. Je n'avais toujours pas sa parole.

Mais je ne l'aurais jamais, c'était clair. Il était tourné vers moi, de marbre dans la nuit, et quelque chose dans son immobilité, son silence, semblait à la fois m'implorer et me lancer ce défi : lui faire confiance, ne fût-ce qu'en cet instant-là, cette nuit-là.

« Peste soit de vous, Sherlock Holmes », sifflai-je très bas, et j'acceptai le défi. Resserrant mes mains bien haut sur cette corde pendue à l'arbre, je pris un peu de recul et, d'un coup de reins, je me jetai par-dessus le fossé pour atterrir de l'autre côté – tout près de mon frère aîné.

CHAPITRE XI

J'étais même si près de lui, à vrai dire, que je me hâtai de reculer. Mon front et mes joues prenaient feu, mais par bonheur, dans l'obscurité, il ne risquait pas de le voir.

Dans la foulée, sans ralentir, comme si telle avait été mon intention depuis le début, je poursuivis en direction du mur, tenant toujours à la main l'extrémité libre de la corde.

« Lâchez donc ça ! » me souffla Sherlock qui boitillait derrière moi.

Pour toute réponse, je saisis la corde entre mes dents, car je venais de me rendre compte, sitôt entamé l'escalade, que cette damnée jupe m'empêtrait les jambes, et que pour m'en dépêtrer, j'avais besoin de mes deux mains. Mais lâcher la corde ? Sûrement pas. Il me la fallait – pour Sherlock. Sans elle, comment espérait-il passer par-dessus la grille, avec un pied hors service ? Sitôt que je pus joindre les pointes des barreaux, j'y attachai la corde d'un nœud à toute épreuve, prenant soin de laisser pendre une bonne longueur de l'extrémité libre, puis je lançai celle-ci en direction de mon frère.

S'il me remercia ? Pensez-vous ! « Pas besoin », bougonna-t-il seulement.

Mais c'est alors qu'un beuglement se fit entendre quelque part du côté de la demeure. « Halte là ! hurlait le baron. Halte là ou je tire ! » Et presque aussitôt, un coup de feu partit dans la nuit. « Arrêtez ! Haut les mains ! »

Il y eut un nouveau coup de feu, et un impact sur le fer forgé, à quelque distance.

Loin de m'arrêter, ces amabilités me firent franchir la ferronnerie avec plus de célérité encore. Sherlock lui-même se lança à l'assaut de la grille avec une agilité remarquable, usant fort habilement de cette corde dont il avait assuré n'avoir pas besoin. Quoi qu'il en soit, le troisième coup de feu – ou était-ce le quatrième ? tout allait si vite que je ne suivais plus – retentit juste comme il redescendait de l'autre côté, et j'entendis en même temps vociférer le baron et son fils à voix de fausset. Ils couraient vers nous en tirant à tour de bras – et brusquement, Sherlock s'écroula.

« Oh nooon ! » Plus jamais, je l'espère, je ne vivrai un tel cauchemar, et tout en courant à lui, je l'imaginais déjà ensanglanté, mourant…

Mais il était en vie. Je ne l'avais pas encore rejoint que déjà il se relevait tant bien que mal. Je le pris par un bras, l'aidai à se redresser. « Appuyez-vous sur moi », lui dis-je, et nous repartîmes clopin-clopant, moi le portant presque. Par bonheur, il ne pesait pas lourd pour un homme de sa stature.

« Vite, soufflai-je. Par ici. » Et je l'entraînai dans une propriété voisine, longée par un petit chemin privé que j'avais repéré en arrivant. « Êtes-vous gravement touché ?

– Ma dignité seulement. J'ai dérapé. »

Mais je perçus comme un accent de douleur dans sa voix. J'insistai : « Vous n'êtes pas blessé ?

– Par balle, voulez-vous dire ? Avec ces pétoires qu'ils nous ont sorties ? Pas à pareille distance ! Ils auraient dû attendre d'être plus près avant d'arroser, ces fins tireurs. »

Il redevenait lui-même, caustique et sûr de lui. Le soulagement me submergea. « Le ciel soit loué !

– Le ciel n'a rien à y voir, Enola. Écoutez-les, ces ostrogoths. »

Un déluge de jurons faisait rage dans notre dos, beaucoup trop proche à mon gré, et j'entraînai mon aîné à travers la trouée d'une clôture, puis derrière l'angle d'une étable désaffectée et à l'intérieur d'une laiterie à l'abandon. En appui sur mon épaule, il claudiquait de façon alarmante.

« Arrêtons-nous un moment, supplia-t-il, hors d'haleine. Chut ! écoutez… » Il se figea.

Je me dégageai doucement et fis quelques pas à l'écart. Par-dessus ses halètements retenus, par-dessus les aboiements des Merganser père et fils, une autre voix se faisait entendre, une voix aux accents irlandais.

« … Bientôt fini, ce chambard ? »

Grognements indistincts.

« Pas une raison… tapage nocturne ! »

Autres grognements.

« Vos gaillards, à c'te heure, 'sont déjà loin ! »

Rogne et grogne et râle et rouscaille, les deux autres ne décoléraient pas.

« Sûr ! Au fond de vot' jardin, oui ! Pouvez tirer tant que vous voulez. Mais que ça aille pas sur la voie publique. Et pas la nuit ! Ça, c'est pas autorisé. »

Râle et grogne et rogne et rognonne.

« Bon, z'avez pas subi de préjudice. T'nez, voyez plutôt la belle longueur de corde qu'ils vous ont laissée. Maintenant, rentrez chez vous. Déposerez plainte demain. Ouaip, et faites-moi confiance. M'en vais avoir l'œil, moi, pour cette racaille. »

Enfin, les voix se turent et les pas s'éloignèrent, laissant place aux petits bruits de la nuit.

« Alors comme ça, nous sommes "déjà loin" ? ironisai-je tout bas au bout d'un moment. Si seulement c'était vrai !

– Vous devriez vous sauver, à présent, Enola, chuchota mon frère. Je m'en tirerai très bien tout seul. »

Il me laissait m'envoler ? Alors qu'il me tenait presque ? J'aurais dû lui en savoir gré. Au lieu de quoi, j'éprouvai comme une morsure au cœur.

« Bon, dis-je, mais ce brave baron et son fils charmant ?

– À mon avis, répondit-il, s'asseyant à demi sur la dalle de pierre qui avait dû jadis voir la crème se faire beurre, on peut raisonnablement assurer qu'ils se sont retirés dans leurs pénates. » Il faisait si sombre, sous cet abri, que je le distinguais à peine. « Et comme j'ai dans l'idée qu'ils ne tiennent pas à attirer l'attention, je les vois mal porter plainte.

– Ce n'est pas ce que je voulais dire. Mais que faire à leur propos ? Et qu'ont-ils fait, eux, de lady Cecily ? Puisque la jeune personne qui a été vue en landau n'était finalement qu'un valet déguisé en fille. Où est-elle, elle ? »

Durant la pause qui s'ensuivit, je regrettai bien de

ne rien voir de ses traits. Il répondit enfin à mots lents :
« Il semble en effet que je me sois fait berner, et que
l'honorable Cecily Alistair ne soit plus à Londres.

– Pourtant, moi, je l'y ai vue.

– Ah ? Et quand donc ? Où ça ?

– La semaine passée, aux t… pas loin du British
Museum. C'est même elle que je m'apprêtais à suivre
quand je suis tombée sur Mycroft et que… nous avons
eu un petit accrochage, lui et moi.

– Vous avez eu un quoi ?

– C'est-à-dire… il a essayé de m'attraper, alors je
lui ai allongé un petit coup de pied dans le tibia. Il ne
vous l'a pas dit ? »

À l'évidence, non, car Sherlock riait – il riait sans
retenue, quasiment en silence, mais je le devinais agité
de soubresauts, cramponné à la dalle de pierre. Il riait
comme si rien ne pouvait l'arrêter.

Mais c'était un rire nerveux, aussi, je le voyais
bien ; un rire d'épuisement. Il était grand temps de
le conduire en sécurité. Sitôt qu'il parut se calmer,
je lui chuchotai : « Venez. Il me faut vous ramener
chez vous. »

Chez lui, ou chez le Dr Watson.

Il ravala son rire. « J'ai un fiacre qui m'attend à
l'angle de Boarshead et Oakley. »

Ah. Très bien. «Je peux vous y conduire, lui dis-je. Je connais un petit chemin…

– Un raccourci ?

– Oui. Et qui limitera les risques de croiser le constable.

– Excellent.» Il voulut se redresser, siffla entre ses dents. «Si vous vouliez bien m'autoriser à reprendre appui sur votre épaule, Enola…»

Un instant, je balançai, m'efforçant de discerner son expression. Dans le danger, lorsqu'il avait eu besoin d'aide, je n'avais pas hésité une seconde. À présent, je n'étais plus si certaine de lui faire confiance. Il avait tant de tours dans son sac ! Je n'aurais pas été surprise de le voir produire une paire de menottes à la façon d'un illusionniste, et de me les passer en un tournemain.

«Ou si vous aimez mieux, ajouta-t-il, interprétant mon manque d'empressement, peut-être sauriez-vous me trouver quelque chose comme un bâton, une canne ?»

Mais sa voix s'était faite toute plate, comme si quelque chose s'en était retiré, une chose si impalpable, si ténue, que je ne la percevais qu'à présent – à présent qu'elle n'était plus.

Une chose que je n'osais nommer.

Une fois de plus, j'eus cette morsure au cœur qui venait sans crier gare. Alors, malgré mes appréhensions, j'allai me planter près de lui et je lui offris mon épaule.

CHAPITRE XII

C'est dans un silence presque absolu que l'heure suivante nous vit clopiner, de venelle en chemin char-retier, d'arrière-cour en potager ou le long de haies bruissantes, entrouvrant et refermant des portillons qui grinçaient et serrant les dents chaque fois qu'un chien aboyait au loin, par acquit de conscience… Plus qu'une rangée de fenêtres obscures sous lesquelles passer, l'échine à l'horizontale – plus facile à dire qu'à faire quand on n'a que trois pieds pour deux –, et nous débouchions enfin sur Oakley Street. Tout au fond de la rue, là-bas, un fiacre attendait, un grand, à quatre roues, carrosse de conte de fées sous le halo d'un réverbère.

Alors mon frère aîné, qui claudiquait à ma droite, toujours en retrait d'un demi-pas sur moi, répondit à la question que je n'avais pas formulée : « Vous avez ma gratitude, Enola, du fond du cœur, et je ne serais pas un gentleman si à présent je ne vous laissais pas repartir de votre côté en toute liberté… »

Mon cœur fit un bond dans ma poitrine.

« … mais c'est pour cette fois-ci, Enola, et cette fois-ci seulement. »

Mon cœur retomba en chute libre.

Cette réserve, pourtant, j'aurais dû m'y attendre. Malgré tout, j'avais espéré… Espéré quoi, au juste ? Peu importait ; j'étais déçue. Et je le fis savoir : « Mais enfin, pourquoi faut-il que vous soyez toujours à mes trousses ? Ne voyez-vous pas que je suis parfaitement cap…

— Je ne doute pas un instant de vos capacités, chère petite sœur. Mais il est de mon devoir de songer à votre avenir, puisque vous-même n'y songez pas. Si vous persistez dans cette voie, quelles chances aurez-vous de vous marier un jour ? »

Autrement dit : jamais un gentleman digne de ce nom n'accordera un second regard à une jeune fille grimpant aux arbres ou se balançant au bout d'une corde.

« Et alors ? » rétorquai-je. Après tout, jamais personne ne m'avait couvée ni cajolée ; je pouvais donc fort bien m'en passer. « Être seule, ajoutai-je – avec une pointe d'amertume, j'en ai peur –, ce n'est pas comme si je n'en avais pas l'habitude.

— Mais tout de même, Enola… vous n'avez pas

l'intention de rester vieille fille ? » Cela de la part d'un célibataire endurci. « Le monde est un endroit dangereux, Enola. Une femme a besoin d'un homme pour la protéger. » Cela de la part de quelqu'un qui prenait appui sur mon épaule pour avancer à cloche-pied.

« Oui, lui dis-je, je sais, je sais. Et "Chacun son métier, les vaches seront bien gardées", et "Chaque chose à sa place" et patati patata… À vous entendre, on croirait une petite grand-mère. Un mot de plus, et je vous flanque mon pied dans cette cheville tordue.

– Enola ! Vous ne le feriez pas !

– Non. Je viserais plutôt la cheville valide.

– *Enola !* »

Me prenait-il au sérieux ? Mystère.

« Laissons en paix vos prétendus devoirs de frère, repris-je. Vous rappellerai-je que c'est du mariage, donc de la protection d'un homme, que vous tentez de libérer cette pauvre Cecily ? À propos, puis-je vous demander comment vous comptez vous y prendre, maintenant ? »

Silence.

« Comment espérez-vous découvrir où ils la cachent ? »

Lorsqu'il répondit enfin, ce fut à mi-voix, et pas de façon directe : « Quel ballot j'ai été, d'aller me mettre en tête qu'ils la détenaient chez eux ! Au lieu de faire les yeux doux à la bonne de l'étage, j'aurais dû…

– Ah ! la fameuse Bridget, je parie ?

– Pour ce que j'ai tiré d'elle ! J'aurais beaucoup mieux fait de suivre ce fameux landau, quitte à m'accrocher à l'arrière.

– De toute manière, maintenant, c'est exclu. Avec votre cheville dans l'état où…

– Je le sais, dans quel état est ma cheville ! » coupat-il. Il semblait à bout. Il s'arrêta soudain, s'adossa à un montant de portail et me fit face. « Enola. Dites-moi tout ce que vous savez sur cette affaire, si vous le voulez bien.

– Entendu, répondis-je, pas fâchée de m'attarder un peu avec lui, mais attentive à n'en rien laisser voir. Entendu, si vous me dites ce que vous savez, vous. Lady Theodora a-t-elle toute liberté de communiquer avec vous ?

– Oui, pour une raison assez triste. En désaccord avec son mari quant aux projets concernant leur fille, lady Theodora a quitté sir Eustace en toute discrétion. Elle est allée se réfugier, emmenant le restant de leurs enfants, dans la propriété de ses parents, à la campagne. »

Il me confia le nom et l'adresse du refuge en question,

et c'est bien volontiers qu'alors je lui contai ma récente rencontre avec Cecily Alistair. Je ne tus pieusement que le lieu exact, les fameuses toilettes pour dames d'Oxford Street – en partie par pudeur, mais surtout pour pouvoir continuer de fréquenter ce précieux établissement. « Un lieu public » fit donc l'affaire.

Je ne laissai dans l'ombre, par contre, ni les deux glorieuses duègnes escortant la malheureuse, ni sa mine hagarde, ni sa stupeur à ma vue. Je résumai le dialogue échangé par éventails interposés, décrivis l'ingénieuse façon dont Cecily m'avait glissé cet accessoire de pacotille et détaillai le message codé, inscrit à l'encre invisible, que j'avais fini par y découvrir.

« Et ses dragons, dis-je pour conclure, n'étaient autres que la vicomtesse Inglethorpe et la baronne Merganser.

– Vous en êtes sûre ?

– Sûre et certaine. »

Il se résigna à ne pas savoir par quel biais je m'étais procuré l'information. « Ils détiennent donc bel et bien lady Cecily, murmura-t-il lorsque je me tus. Et toute l'affaire est sur des rails. Bon sang de bonsoir. »

Comme pour fuir ces pensées troublantes, il se remit en marche, boitillant, de nouveau appuyé sur mon épaule.

Je me forçai à l'optimisme : « Bon, mais il y a des limites à l'infamie. Ils peuvent la traîner devant l'autel, mais je les vois mal, au moment crucial, l'obliger à dire "oui".

– Vous prêtez à lady Cecily un caractère de la même trempe que le vôtre, Enola. » Se moquait-il de moi ou était-ce une sorte de compliment équivoque ? L'intonation ne le disait pas. « Mais je doute qu'elle ait un tel tempérament, et vous devriez le savoir, vous qui l'avez tirée des griffes d'un hypnotiseur. Par le passé, cette jeune personne s'est révélée très influençable, ultra-sensible à la volonté d'autrui. Elle est capable de se laisser dominer totalement. Et, d'après lady Theodora, elle n'est jamais vraiment redevenue elle-même depuis son enlèvement ; elle semble d'une instabilité extrême.

– Possible », marmottai-je, renonçant à tenter d'expliquer comment, selon moi, une enfance de gauchère sévèrement contrariée avait conduit Cecily à se bâtir deux personnalités : d'un côté, l'enfant sage et docile, et de l'autre, la jeune gauchère révoltée, brillante, rêvant de réformer la société – et qu'il ne fallait surtout, surtout pas emprisonner dans un mariage de mascarade.

« De fait, reprit Sherlock, une chose que je redoute, si même je parviens à la retrouver, c'est qu'à ma vue elle ne se mette à hurler, croyant à un enlèvement. »

Le risque me semblait réduit, mais j'en profitai pour demander : « Parce que vous espérez la retrouver ? Alors qu'elle pourrait être n'importe où dans Londres ?

– Espérer n'est pas le mot ; je *dois* la retrouver, ou faire en sorte qu'elle le soit. Même si, comme je le disais, elle risque de me fuir.

– Elle ne vous fuira pas. Pas si vous lui montrez ceci… »

Je me détournai légèrement, et plongeant la main dans mon corset – coffre au trésor et coffre à outils –, j'en tirai un éventail de papier ourlé de plumes duveteuses, d'un rose boueux à la lueur encore lointaine du bec de gaz.

Mon frère eut un petit croassement digne d'un râle des genêts. « Ce n'est… ce n'est pas celui…

– Non, son jumeau, dis-je en lui tendant l'article que m'avait remis en échantillon un traiteur de Gillyglade Court. Mais peu importe. Si elle vous voit avec cet objet, elle saura que vous venez en ami. »

Il l'empocha en me remerciant, mais parut sceptique : « À coup sûr, j'aurai l'air charmant avec cette chose à la main.

– Vous avez un meilleur plan ?

– Pas encore.

– Moi non plus. » Nous atteignions la place au coin de laquelle le fiacre attendait. Je fis halte. « À partir d'ici, dis-je, vous pouvez terminer seul, sûrement. Je n'irai pas plus loin. » En évitant de m'avancer trop dans la lumière, j'espérais l'empêcher de noter ma tenue et certains détails de mon apparence. En cet instant, c'était mon seul souci. J'avais tout oublié de mes craintes de le voir tenter de m'embarquer de force dans son fiacre.

Paradoxalement, c'est lorsqu'il lâcha mon épaule et s'écarta un peu de moi que, le temps d'un éclair, ces appréhensions me revinrent. Il était tellement plus grand que moi !

Et si beau, à mes yeux du moins, avec ce visage taillé à coups de serpe et cette silhouette élancée, nimbée de la lumière du réverbère !

« Et si vous veniez avec moi, Enola, le temps de prendre une tasse de thé et de discuter plus avant de notre affaire ? »

Très chère, venez dans mon petit salon, disait l'araignée à la mouche…

Non, c'était là une pensée injuste. Il m'avait donné sa parole, et il était homme de parole. Assurément, je pouvais m'offrir quelques instants de plus auprès de lui.

À cette pensée, mon cœur eut un sursaut de joie

pure – et c'est alors que je compris : le véritable danger, c'était mon affection pour lui. Quelques instants
de plus à ses côtés, et je risquais de me retrouver trop
faible pour repartir. Tels ces personnages de conte
de fées qui n'ont droit qu'à la nuit, je risquais, surprise
par le jour, de me laisser capturer.

D'une voix qui tremblait un peu, je répondis : « Une
autre fois peut-être ; merci.

– Il n'y aura pas d'autre fois. Le mariage forcé est
dans deux jours, à compter de demain matin.

– *Quoi ?* » m'écriai-je. Puis, un peu plus lucidement :
« Et où donc ?

– C'est là le malheur : je n'en sais rien. »

Grands dieux ! Mais c'était affreux.

« … Tout ce que Bridget a pu me dire, c'est que
la cérémonie est prévue dans une petite chapelle
privée… »

Dieux cornus ! Dieux rongés de verrues !

« Vous êtes certaine de ne pas vouloir venir avec
moi, Enola ? »

Les émotions et les pensées en tumulte, je m'entendis répondre avec véhémence : « Non. Non, j'ai
besoin de réfléchir.

– Bien. En ce cas, il ne me reste qu'à vous remercier
encore pour votre aide et votre assistance ce soir. »

Il lança le bras en avant. Pour une poignée de main ou pour m'empoigner, moi ?

Et cependant, je ne pouvais pas, ne voulais pas heurter ses sentiments. Et après tout, ce pied tordu ne lui permettait guère une course poursuite…

Nos doigts s'effleurèrent, puis sa main gantée se referma sur la mienne, la mienne plutôt sale et encore cuisante de mes exercices de grimper. Sitôt que je sentis sa prise mollir, je me dégageai vivement.

« Chère petite sœur sur le qui-vive… murmura-t-il d'un ton d'ironie désabusée, voire avec une certaine mélancolie. Vous avez tout d'un poney sauvage. Quoi qu'il en soit, au revoir, et à une prochaine fois. »

Et il s'en alla, clopin-clopant.

CHAPITRE XIII

J'épargnerai à mon aimable lecteur le récit des heures qui suivirent. Disons seulement qu'après avoir vu se fondre dans la nuit le fiacre qui emportait mon aîné, je fus brutalement submergée par une vague de sentimentalisme aussi violente qu'inattendue, un Vésuve émotionnel qui me prit totalement en traître.

De temps à autre, sur le chemin de l'East End, je me surpris à sangloter sans bruit.

Sitôt dans mon lit, par bonheur, je sombrai dans un profond sommeil d'épuisement, mais au matin, à mon réveil, les larmes revinrent sans prévenir.

Incapable de me montrer à la table du petit déjeuner et n'ayant aucune raison de m'habiller, je restai en chemise de nuit. Au vrai, pour m'arracher du lit, il fallut une terreur soudaine : et si mon frère avait réussi à me suivre à la trace jusqu'à mon logis ? Titubant de panique, je gagnai la fenêtre et collai l'œil à la fente du store. Pas trace de Sherlock dans la rue, bien sûr. Contre toute logique, je fus déçue.

Tout ce qui tourbillonnait en moi n'était que contradiction, incohérence et conflit. Mes pensées fusaient dans toutes les directions comme autant de perdrix affolées. J'avais échoué, perdu toute chance de secourir à temps Cecily, Sherlock ne pouvait rien non plus, pas avec cette cheville estropiée, pourvu qu'il n'eût rien de cassé, et était-il allé la montrer au Dr Watson, et pourquoi n'avait-il pas entraîné celui-ci dans son expédition nocturne, pour commencer ?

Et où donc ces Merganser pouvaient-ils cacher leur victime, et où se trouvait ma mère à cet instant, et était-elle en sécurité ? *Ne pas penser à Mère*. Et Sherlock était-il allé discuter avec Mycroft ? Et au diable Mycroft, à coup sûr, il allait dire à Sherlock quel était ce « lieu public » où j'avais croisé Cecily, alors adieu, refuge des toilettes pour dames d'Oxford Street, et adieu, mon personnage de bas-bleu, puisque Mycroft m'avait vue dans cette tenue… Décidément, mon choix de déguisements se réduisait, il s'amenuisait chaque fois que j'étais repérée par l'un de mes frères. Mon ensemble de tweed brun, par exemple : éliminé, Sherlock l'avait vu. Mère avait laissé un ensemble de tweed dans sa chambre, aussi, quand elle était partie – mais pourquoi revenir à Mère tout le temps ? En son absence, c'était Mycroft mon tuteur légal, j'aurais tant préféré que ce fût Sherlock. Il me comprenait un peu mieux, lui, apparemment… Non, non, aucun des deux n'était digne de confiance. Qu'avait appris de moi Sherlock, au juste, au cours de la nuit passée ? Trop, beaucoup trop. Quelle sotte j'avais été de rester si longtemps auprès de lui ! À présent, par exemple, il savait que j'avais toujours sur moi un certain nombre d'accessoires. Avait-il vu d'où je les tirais ? Avait-il noté, dans l'obscurité, mes formes étrangement féminines ? Soupçonnait-il que je portais un « modeleur de formes », avec « rehausseur de buste » et « régulateur de hanches » qui m'offraient autant d'espaces de rangement ? Me fallait-il tout reprendre à zéro, peut-être me faire gitane, diseuse de bonne aventure, afin de lui échapper ? Mais tenais-je à lui échapper ? Je ne rêvais que de le revoir ! Je nous voyais tous deux cheminer côte à côte, en devisant, le long de quelque rue pavée. Il y avait tant de questions qu'à présent je regrettais de ne pas lui avoir posées ! Avait-il des nouvelles de Ferndell, le manoir qui nous avait vus grandir l'un et l'autre, à vingt ans de distance ? Savait-il ce que devenaient Mr et Mrs Lane, le majordome et la cuisinière, et Dick, leur grand fils simplet, et Reginald le colley, sans doute plus futé que lui ? Avait-il des nouvelles du village de Kineford ? Et ici, à Londres, comment allaient le Dr Watson et sa femme

Mary, sans parler de sa logeuse à lui, Mrs Hudson, que j'avais rencontrée le jour où j'étais allée reprendre dans son logis, clandestinement, le cahier d'énigmes que Mère avait confectionné pour moi ? Au fait, en parlant de ce cahier, mon cher frère Sherlock, lorsque vous êtes allé à Ferndell pour enquêter, qu'avez-vous trouvé ? Qu'avait donc caché notre mère pour moi, derrière le miroir ?

À cet instant, d'un trait, toutes mes pensées en désordre s'envolèrent comme moineaux et mon esprit se concentra, avec une énergie farouche, sur une seule et unique interrogation : Mère m'avait-elle laissé quelque part un quelconque message ?

La question n'était, j'en conviens, d'aucune portée immédiate, mais subitement elle dominait tout. Parce que je comprenais, pour finir, pourquoi je n'avais pas encore essayé de retrouver ma mère.

Pourquoi j'hésitais à la revoir.

Tout simplement, je me demandais…

Me demandais quoi ?

Cesse de te mettre la tête sous l'aile, Enola. Dis-le. Pense-le. Une bonne fois.

Tout simplement, je me demandais si je ne m'étais pas fait des illusions en m'imaginant que Mère m'aimait.

D'un autre côté, si elle avait laissé pour moi un message derrière ce miroir…

Cette question engloutit tout le reste à la façon d'une coulée de lave, et enfouit toute autre considération aussi sûrement que le Vésuve avait enseveli Pompéi. Brusquement, le désir de savoir, trop longtemps refoulé, ne pouvait plus attendre. Ce matin-là, recevoir un mot de ma mère, un seul mot, devint tout à coup un besoin vital. Sans ce mot d'elle, la vie ne me semblait plus digne d'être vécue.

Je dois ici rappeler que lorsqu'elle était partie sans préavis, le jour de mes quatorze ans, dix mois plus tôt, ma mère m'avait laissé en cadeau un petit cahier d'énigmes à résoudre, confectionné de sa main. Or chacune de ces énigmes était un message codé, et les messages déchiffrés m'avaient amenée, de fil en aiguille, à découvrir les sommes considérables que Mère avait laissées pour moi, cachées tantôt derrière ses aquarelles, tantôt dans un montant de son lit de cuivre – sommes qui m'avaient permis d'échapper au pensionnat et de m'arranger pour vivre seule à ma manière. Hélas, ce petit cahier, je l'avais perdu accidentellement, pour découvrir par la suite qu'il était tombé entre les mains de Sherlock. L'ayant plus tard récupéré grâce à un raid dans sa garçonnière, j'avais découvert, à mon dépit, que ce diable d'homme avait résolu la seule énigme m'ayant résisté, celle qui figurait sur une page ornée de fleurs de pensées sauvages. Le message codé qui les accompagnait se présentait ainsi :

CE NS SO OU IE AV IR SM IR
SP EE NT RT NO AV DA ON OI
ESPOLONMR

Les corolles de pensées évoquent de petits visages, ce qui explique peut-être pourquoi la pensée, dans le langage des fleurs, signifie : « Je pense à vous[1] ». Quoi qu'il en soit, ces pensées des champs, que Mère appelait affectueusement des Johnny-saute-en-l'air, me faisaient songer à de petites fées à chignon, avec leurs deux pétales sombres pareils à une chevelure relevée et les trois pétales clairs suggérant un fin visage. En tout cas, si j'avais mieux regardé, ou peut-être mieux réfléchi, sans doute aurais-je eu l'idée qui avait soufflé à mon frère la façon de décrypter le message. Mère l'avait encodé de manière à imiter les corolles des pensées :

---

1. En français, le rapprochement est évident ; mais pas en anglais : la pensée fleur se dit *pansy*, la pensée de l'esprit, *thought*. (N.d.T.)

```
CE NS  SO  OU  IE  AV  IR  SM  IR
SP EE  NT  RT  NO  AV  DA  ON  OI
E  S    P    O    L    O    N    M   R
```

Une fois les trois lignes placées comme il convenait, les unes au-dessus des autres, il était assez facile de deviner comment les lire : de gauche à droite et de haut en bas pour chaque fleur, et ainsi de suite de fleur en fleur. Quand je dis facile, ce l'était surtout grâce à la solution griffonnée par mon aîné, d'un crayon léger, sous l'énigme :

CES PENSEES SONT POUR TOI ENOLA
VA VOIR DANS MON MIROIR

Mère avait dû cacher quelque chose à l'intérieur de son petit miroir à main, ou peut-être sous le panneau arrière du grand miroir de sa chambre.

Ces pensées sont pour toi, Enola.

Ces pensées, fort bien, mais… les fleurs, simplement ? Ou leur sens symbolique : « pensées affectueuses ; mes pensées sont à vous » ?

Et puis, surtout, dans ce miroir ou par-derrière, qu'y avait-il ? Qu'aurais-je trouvé, si j'avais su déchiffrer l'énigme ? Un petit mot d'explication, un au revoir, un message… d'affection ? C'était ce qui m'avait tant manqué, ce que je n'avais trouvé nulle part. À présent, je n'y tenais plus. Je voulais savoir.

Décider d'agir eut pour effet de tarir mes larmes. Je cessai de déambuler, tremblant vaguement, à travers ma chambre. Toujours en chemise de nuit, je débarrassai mon écritoire, d'un revers de main, des papiers qui l'encombraient, et me mis en devoir de rédiger un message destiné à ma mère, par le biais des petites annonces de la *Pall Mall Gazette*.

Je commençai par jeter sur le papier ce que j'avais à lui dire :

À l'intention de ma camomille : je n'ai pas pu trouver ce que vous aviez caché dans le miroir. Pourriez-vous me dire ce que c'était ?

Aïe. Un peu long à chiffrer.

Par-dessus le marché, Sherlock et Mycroft, que je ne souhaitais certes pas mettre au courant, savaient à présent déchiffrer tous les codes que je pratiquais.

Tous, à ma connaissance, sauf un. Je me mis au travail immédiatement.

À l'intention de ma camomille : première lettre de la joie au cœur; troisième lettre de la fidélité; septième lettre du souvenir; deuxième lettre de la haine; première lettre du message

Je m'interrompis. Trop long. Vingt fois trop long. Avec le J de la jacinthe (« joie au cœur » dans le langage des fleurs), le E du lierre (« fidélité »), le N du romarin (« souvenir »), le A du basilic (« haine ») et le I de l'iris (« message »), je n'avais encore écrit que : « Je n'ai » !

Non, il me fallait un autre mode de codage. D'ailleurs, tout bien pesé, le langage des fleurs était fluctuant. J'avais beau veiller à ne sélectionner que des fleurs au symbole quasi universel, ce que j'avais à dire cette fois ne pouvait risquer l'équivoque.

Mon bel effort froissé en boule et jeté à la corbeille à papier, je ruminai longuement, puis un détail me revint : les derniers messages de Mère avaient été formulés en clair ; seul le sens en était voilé.

De nouveau, je mâchouillai mon crayon. Les idées se faisaient rares et pauvrettes. Enfin, l'inspiration me vint.

Narcisse n'avait que l'eau, faute d'en avoir un;
Celui de Camomille était de verre et tain;

149

Et voici la question qui tourmentait tant Lierre :
Quel était donc l'Iris qui se cachait derrière ?

Je relus mon quatrain de mirliton. Je n'en étais pas mécontente. Il avait tout d'une devinette d'almanach, rimée, simplette en diable et fleurie à plaisir.

Narcisse est bien sûr un nom de fleur ; mais si l'on en croit la légende grecque, c'était d'abord un adolescent ébloui par sa propre beauté, épris de son reflet sur l'eau d'un étang.

Narcisse n'avait donc pas de miroir, mais Camomille – nom de code de ma mère – en avait un, un vrai, en verre doublé d'une couche de tain. Et Lierre, c'était moi, Ivy[1], qui avais échoué à trouver l'iris – autrement dit le message, en souvenir de la déesse Iris, qui venait livrer sur terre les messages des dieux grecs grâce au pont de l'arc-en-ciel.

Je lus et relus mon quatrain. Mère allait comprendre, je n'en doutais pas. J'en fis une première copie à l'encre pour la *Pall Mall Gazette*, puis trois autres pour divers périodiques dont je savais que ma mère les lisait. Comme il me restait à faire ma

---

1. En anglais : « lierre ».

toilette, à m'habiller, à manger un morceau, ces missives seraient confiées à la poste pour la levée de la mi-journée. Ainsi gagneraient-elles Fleet Street plus vite que je n'aurais pu les livrer moi-même. Je n'avais qu'à mettre la main sur ma réserve de timbres-poste.

À la recherche de ces derniers, je déplaçai la pile de papiers précédemment repoussée pour dégager mon écritoire et... quelque chose attira mon attention.

Un papier écrit de ma main. Une liste. Rédigée – nom d'une pipe, était-ce hier seulement ?

– *Ses gardiennes semblaient de la haute société (élégance et quant-à-soi).*

– *Leur façon de s'adresser à elle laisse supposer un lien de parenté.*

– *Elles sont toutes trois montées dans un fiacre, numéro ???*

Et soudain, les yeux fixés sur ces mots, je me traitai de tous les noms.

Cruche que j'étais ! Une matinée perdue à remâcher le passé. Alors que les heures étaient comptées !

Je le savais, en réalité, *qui* pouvait me dire où Cecily était tenue sous clé.

CHAPITRE XIV

La plus extrême prudence était de mise. J'allais devoir agir déguisée comme jamais, ayant résolu de m'aventurer là où, je le savais, je risquais le plus d'être reconnue.

Où je risquais le plus gros si j'étais reconnue.

Alors que les chances de succès étaient infimes.

Et si...

Pas de « et si », Enola. Exécution. Déguise-toi.

Plus facile à dire qu'à faire. Le rôle qu'il me fallait jouer était celui d'une lady, une vraie, avec des dessous de batiste, chemise fine et pantalon[1] bordé de dentelle sous les genoux, puis corset par-dessus (lacé de façon très lâche, mais indispensable pour véhiculer ma petite panoplie et me doter d'une silhouette de dame, larges hanches, buste avantageux et, entre les deux, taille de guêpe). Là-dessus, bien entendu, un

---

1. À l'époque, le pantalon était une pièce de lingerie pour dames, s'arrêtant aux genoux.

cache-corset, plusieurs jupons de soie, puis la robe
– de soie aussi, bleu lapis-lazuli, avec des plis cou-
chés par-devant et, sur les reins, une « tournure »
discrète –, accompagnée de la veste assortie, sans
parler du saint-frusquin exigé pour sortir en ville :
chapeau, gants, mouchoir brodé, guêtres et ombrelle,
le tout non moins assorti. L'ensemble devait peser
dans les quinze livres[1] au bas mot, mes bottines les
plus chics non comprises.

Et ce n'était pas terminé !

Non contente de jouer à la lady, je devais aussi
me faire belle, car c'était le déguisement le plus sûr.
Or la transformation n'avait rien d'instantané.

Pour commencer, il me fallait relever mes cheveux
naturels – d'un ton aussi radieux qu'un pieu de bois
sous la pluie – et en faire un petit tas sur mon crâne,
dûment fixé par des épingles, puis escamoter cette
misère sous ma luxuriante perruque brun-roux, sur
laquelle j'avais fixé d'avance ma capeline bleue à large
bord. Après quoi, je me garnis le front d'une frange
de bouclettes – accessoire de rigueur : la princesse
Alexandra en portait – et parachevai le tout à l'aide

---

1. Environ sept kilos.

de diverses substances (déconseillées aux femmes honnêtes) appliquées sur mes lèvres, mes joues, mes paupières et mes cils le plus discrètement possible. À force de m'exercer, et peut-être parce que le sang des Vernet coulait dans mes veines, j'avais appris à colorer mes traits d'une main si légère que ce rien de vivacité semblait tout naturel, ou du moins je l'espérais.

Alors, et alors seulement, je fus prête.

Midi était déjà largement passé, je n'avais toujours rien avalé, mais je n'en avais plus le temps : si je voulais tenter ma chance, c'était maintenant ou jamais.

Ma chance ! Je la savais mince. Combien y avait-il de fiacres, dans tout Londres ? Une vingtaine de milliers, au minimum. Quelle linotte j'avais été de ne pouvoir retenir, dans ma petite tête dolichocéphale, ce numéro si crucial !

Car je ne voyais qu'une seule personne pour m'indiquer où rechercher lady Cecily : le cocher du fiacre qui l'avait emmenée sous mes yeux – emmenée acheter ce fameux trousseau, puis, fort probablement, ramenée à domicile ensuite.

J'avais résolu de retrouver cet homme. Forte du raisonnement qu'un cocher de fiacre attendait le client tous les jours à la même station et vers les mêmes heures, je m'apprêtais à lancer ma quête à l'endroit même et à l'heure même où Mycroft m'avait empêchée de prendre en filature cette voiture.

Le seul ennui étant qu'en ce lieu, et particulièrement à cette heure, le risque n'était pas nul de croiser Mycroft une fois de plus.

Mais tu es méconnaissable ! me rappelai-je fermement tout en descendant de mon propre fiacre, non loin des toilettes pour dames d'Oxford Street. *Marche d'un pas naturel – non, non, pas comme un grenadier, du trotte-menu, rien de plus. Et fais tournoyer ton ombrelle avec grâce. Voilà. Tu es une belle dame, bien habillée, qui s'en va faire ses emplettes.*

Je me lançai donc, nimbée de bleu, dans le tourbillon gris de la rue londonienne, fendant d'un pas de bergère d'opérette la foule sombre et soucieuse – militaires et bonnes à tout faire, employés de bureau et clercs de notaire, crieurs de journaux et marchandes de fleurs, sans parler d'un aveugle guidé par un gamin déguenillé, d'une brave femme un peu débraillée vendant des pansements pour cors aux pieds, ni d'un vétéran de la guerre de Corée avec barbe grise, croix de guerre et un bras manquant.

De mon pas indifférent, je gagnai la file de fiacres en stationnement et entrepris de les passer en revue d'un air oisif et dédaigneux. Comment retrouver celui qui m'intéressait ? Je n'en avais pas la moindre idée. Je n'avais pas vu son cocher de face, et n'avais qu'un souvenir très vague du véhicule même. Tous se ressemblaient à mes yeux ! Durant le trajet, dans ma propre voiture, j'avais tenté d'en faire un croquis de mémoire, à grands traits. Las ! seul le cheval avait daigné se présenter sous mon crayon. J'adorais, j'adore toujours les chevaux, mais était-ce bien le moment de redessiner comme une gamine mon cher Black Beauty, ce cheval de fiacre dont j'avais lu et relu les mémoires, enfant ? Dépitée, je m'étais consolée à l'idée qu'une fois sur place, peut-être, je saurais reconnaître le véhicule en question, s'il était là.

Trop de *peut-être*, trop de *si…*

Dans la file de fiacres en attente, rien n'éveillait en moi le moindre souvenir.

Droit devant, en revanche, à moins de cinquante pas et sur le même trottoir que moi, approchaient deux silhouettes qui ne m'étaient que trop familières. Mes frères. Mycroft et Sherlock.

Il m'en coûte de l'avouer, mais une seconde ou deux, à leur vue, je perdis tous mes moyens. Au point de me changer en statue.

Ridicule, Enola. Tu vas t'en tirer en beauté.

Rassemblant mes esprits, je me remis en marche.

J'avais eu bien tort d'en perdre le souffle. Engagés dans une discussion animée, ni Mycroft ni Sherlock ne m'avaient encore repérée. Ils parvenaient à l'endroit où, quelques jours plus tôt, j'avais littéralement embouti Mycroft. Vêtu en tout point comme il l'avait été ce jour-là, mon robuste aîné ne semblait pas avoir souffert de l'aventure. Sherlock, par contre, bien qu'élégant dans son costume de fin drap noir, avait le pied droit tout emmailloté et chaussé d'une pantoufle épaisse, et il s'appuyait lourdement sur sa canne.

Veillant à mon pas d'oiseau-lyre et à mon port de tête, je poursuivis mon chemin, chapeau de biais, ombrelle haute, nuée bleue au milieu de la foule incolore, en élégante tenant fort à ce que le monde entier la remarque. Paradoxe que de se cacher en veillant à être vue ! Et cependant, c'était mon cas, et sans doute la meilleure stratégie. Tels que je connaissais mes frères, lorsque passerait dans leur champ de vision une vivante image de la mode, ils n'allaient pas lui accorder plus qu'un regard poli.

J'avais vu juste. Lorsqu'ils me croisèrent, ils portèrent leur main à leur chapeau comme un seul homme, mais sans interrompre en rien leur conversation.

« ... ne peut plus être toléré, martelait Mycroft.

Vous vous êtes montré fort négligent de la laisser ainsi repartir gaiement vers ses errances.

– Gaiement, gaiement, permettez-moi de vous dire, ce n'est pas le mot. »

Ah ? Ma détresse avait-elle donc été perceptible ? Mais je ne sus pas ce que Sherlock entendait par là, car j'étais déjà trop loin, en marche vers mes errances…

Je rendis toute mon attention à la tâche en cours : retrouver ce fiacre qui avait emporté lady Cecily.

Mais décidément, aucune des voitures rangées là ne m'évoquait quoi que ce fût.

Parvenue au bout de la file ou presque, et hors de vue de mes aînés, je m'arrêtai, respirai un grand coup, et me retournai pour considérer ces véhicules sous un autre angle. Rien, toujours rien de notable, hormis deux grands yeux bruns qui me contemplaient humblement.

Un cheval de fiacre, un grand louvet, placide et doux. Incapable de résister – après tout, depuis des jours, je n'avais pas reçu salutation plus franche –, je m'avançai et lui effleurai la joue d'un doigt ganté. Avec un petit reniflement parfumé au foin chaud, la grande bête baissa la tête pour offrir son front à la caresse.

Le cocher assis sur son siège posa sa lecture de côté – la *Gazette du crime illustrée* – et m'observa, incertain.

« Quel gentil cheval », lui dis-je, heureuse de pouvoir parler, pour une fois, sans devoir gommer ma pointe d'accent aristocratique. « Il a l'air d'avoir bon caractère. Et docile, je parie ?

– Ça oui, m'lady. Et dur à la peine, aussi. Et pas difficile à entret'nir. » Emporté par le sujet, il se pencha vers moi. « Jamais eu d' meilleure bête, savez. Et c'est une sacrée chance pour un indépendant comme moi. »

Il était donc propriétaire, et de son cheval, et de son fiacre, voilà ce qu'il tenait à me dire. En d'autres termes, il ne travaillait pas pour une compagnie. Le prix de chaque course allait dans sa poche, mais en contrepartie les risques étaient pour lui ; un cheval robuste n'avait pas de prix.

J'approuvai d'un petit hochement de tête et caressai la crinière sombre : « Fort comme un chêne, n'est-ce pas ? Comment s'appelle-t-il ?

– *Elle*, m'lady. C'est une dame. Elle s'appelle Belle. »

Au son de son nom, Belle souffla doucement dans ses naseaux et flaira ma jupe, comme à la recherche d'une friandise.

« Vous vous y connaissez en ch'vaux, m'lady, sauf votre respect. J'en dirais pas autant d' tout le monde. Les dames, souvent, ça préfère les attelages plus chics, avec des d'mi-sang.

– Oh ! j'en ai vu un de ce genre, justement, l'autre jour… » Victoire ! la mémoire me revenait ! « Une très grosse voiture, à quatre roues, brillante et bien astiquée. Et le cheval n'était peut-être pas un demi-sang, mais racé malgré tout, tête haute, écumant au mors, un cheval noir avec le bas des jambes tout blanc et des fanons très fournis, un peu comme un Clydesdale…

– Ah ! je vois çui dont auquel vous parlez : çui d'un qu'a toujours l'air de faire son numéro… Sert à rien, de se dém'ner comme ça, si vous voulez mon avis. À tous les coups, c'était Paddy Murphy et son Gypsy.

– Ah ? » Ni une ni deux. Sur une dernière caresse à Belle, j'escaladai le marchepied pour me hisser à bord du fiacre, non sans tendre au cocher une somme suffisamment coquette pour prévenir toute hésitation. « Et vous pourriez, euh, me retrouver ce Mr Murphy et me conduire à lui ? J'aimerais lui toucher un mot. »

« Si je me souviens d'elles ? Sûr ! » s'écria le dénommé Paddy Murphy, sans me laisser achever ma description d'une jeune fille frêle à jupe citron et de ses deux chaperons bien en chair.

Le maître de Belle avait, sans trop de peine, retrouvé Paddy Murphy dans les écuries de la Serpentine. Nous l'avions surpris une bière à la main, assis sur une botte de foin et fort occupé à montrer à ses collègues, moyennant un penny le coup d'œil, le mystérieux contenu d'une longue boîte en carton-pâte. À mon arrivée, ladite boîte avait été prestement escamotée, et son propriétaire, sautant sur ses pieds, s'était découvert pour me saluer fort civilement. À présent, le shilling que je lui avais glissé bien serré au creux de sa paume, Paddy Murphy me répondait avec une volubilité tout irlandaise : « J' m'en souviens bien, parce que, voyez, ces deux douairières – j' vous d'mande pardon, m'lady, ces deux dames, j' veux dire –, elles m'ont grugé en m' payant la course, j' vous jure. Alors que tout l'après-midi, sauf votre respect, l'avait fallu que j' les balade ici, puis là, partout, pendant des heures.

– Partout, c'est-à-dire ?

– T'nez ! Si y' a dans Londres un marchand de linge où il a pas fallu que je les emmène, je veux bien êt' pendu. On n'avait pas fini une rue qu'y fallait r'partir dans la suivante. Et cette boutique-ci, et celle-là ! Et y' avait toujours une de ces dames qu'allait jeter un coup d'œil à une vitrine ou rentrer à l'intérieur, pendant que l'autre restait en voiture avec c'te pauv' petite qui n' disait rien, pensez, ent' ces deux gendarmes en jupons ! De temps en temps, elles vous la traînaient chez une modiste ou une mercière ou je ne sais quoi, et moi, fallait que j'attende ! Et je bloquais la circulation, pardi, z'auriez entendu les aut' cochers me traiter de tous les noms, sauf votre respect, et après ça, fallait s'arrêter plus loin, prend' un paquet ou une commande, et r'bloquer la circulation, et les constables qui m' criaient après, qui m'naçaient d' me retirer ma licence ! Et moi, tout ce temps-là, je m' disais, au moins, je vais m' rattraper sur le prix d' la course... »

Le maître de Belle planté derrière moi en ombre protectrice, j'écoutai cette diatribe avec un réel intérêt mais en piaffant *in petto* – sans rien en laisser voir, sachant combien il est vain d'espérer endiguer le flux verbal d'un Irlandais. Allait-il enfin me dire où Cecily Alistair avait été emmenée, oui ou non ?

« J' vous jure, j'aimerais mieux quitter l' métier que d' refaire un cirq' pareil ! Mais j' pouvais pas non plus les laisser en plan, parce que la pauv' petite, pour ce que j'en voyais, a pouvait à peine marcher. Et j' sais bien que c'est pas mes oignons, et que c'est pas à moi d' juger, mais quand même, hein, ces deux grandes dames, z'étaient point trop gentilles avec elle. Sans doute que j'aurais pas dû l' remarquer, mais moi...

– Je vous sais gré de l'avoir remarqué », dis-je en montrant, dans ma main gantée, la preuve de mon approbation : un billet d'une livre qui serait à lui s'il continuait de parler. « Et où les avez-vous conduites, pour finir ? » À l'endroit même, je l'espérais, où lady Aquilla et lady Otelia cachaient Cecily. « À un hôtel ?

– Hein ? Non. Non, m'lady. Je les ai emmenées, avec tous leurs bagages, à un endroit qui s'appelle Inglethorpe. »

Ah. L'humble chaumine de la vicomtesse Otelia. Voilà qui ne me convenait guère.

« … Enfin, les deux dames, je veux dire. Mais la petite, avant ça, la d'moiselle, voyez, elles l'avaient mise dans un bateau.

– Dans un quoi ? » J'avais dû mal entendre.

« Oui, c'est ça l' plus bizarre de toute l'affaire. Elles m'ont dit de descendre sur le quai, au bord d' la Tamise, et là, y' avait deux bateliers qui attendaient, et y z'ont emmené la petite. »

C'était bien un bateau. « Emmené où ?

– Ben dame, sur le fleuve, m'lady. J'ai rien vu d' plus. »

J'en aurais pleuré. Que le diable emporte ces deux bonnes femmes, qu'il emporte toute l'affaire ! C'était la petite goutte qui fait déborder le vase.

Mais le vase refusait de déborder ou plutôt, moi, je refusais de m'avouer vaincue. Il devait rester encore une chance, quelque chose, un indice.

« Il faut me montrer où c'était, dis-je au cocher irlandais. Me montrer où, exactement, vous l'avez laissée, elle. Emmenez-moi là-bas. »

CHAPITRE XV

Une demi-heure plus tard, campée au pied d'un petit embarcadère crasseux, je pinçais les narines contre la puanteur et scrutais la Tamise, cherchant des yeux... cherchant quoi, ou qui ? Lady Cecily Alistair ?

L'endroit était plus repoussant encore que ces rues sordides où j'avais retrouvé Cecily la première fois. Au bord de l'eau sale, des gosses en haillons arrachaient à la vase tout ce qui pouvait se récupérer, vieux bouts de bois, pièces de métal, carcasses d'objets hors d'usage. Des hommes tatoués allaient et venaient entre des bâtiments de brique surmontés d'inscriptions en lettres énormes : « Trawlers Ltd », « Compagnie d'Orient, Siam, Birmanie », « Bateaux à louer ». Sur le fleuve, pourtant point trop large, de grands vapeurs et des voiliers à mâts élancés nanifiaient une flottille d'embarcations légères, et le fond sonore était assuré par les grondements rauques d'une énorme drague à moitié rouillée, mêlés aux jurons des matelots, aux criailleries des gamins et aux appels rauques des goélands tournoyant au-dessus de l'eau.

Et moi, je sentais sombrer le peu d'espoir qui me restait.

Mais je n'allais pas renoncer, tout de même ! Me raccrochant à ce que je pouvais, je demandai au cocher : « Et vous l'avez vue de vos yeux monter dans une barque à rames ?

– Comme je vous vois ! »

Ils pouvaient l'avoir emmenée n'importe où. Partout où séjourner ne laissait pas de trace, partout où changer de lieu d'un jour à l'autre se faisait comme rien. Machiavélique. Presque imparable.

« Et quelle direction ont-ils prise ? »

Du geste, il indiqua l'amont. Je jetai un coup d'œil dans cette direction – et commençai de me détourner, vaincue pour de bon. Mais c'est alors que, du coin de l'œil, j'aperçus quelque chose dans la courbe du fleuve, sur la même rive que nous. Comme des éclaboussures brunes au loin.

Je regardai mieux. C'était une sorte de petit troupeau. On aurait dit… des sarraus bruns. Avant même de saisir pourquoi ce détail me mettait en alerte, je m'entendis demander : « Il y a un orphelinat, dans le coin ?

– Oui, là-bas », répondit le cocher, désignant une grande toiture mansardée, d'un vert éteint, à quelques encablures. Alors mes pensées se mirent à tournoyer comme un vol de mouettes criant toutes à la fois au-dessus d'une barque de pêche. Ces gamines en rang par deux derrière le bonhomme au haha, comment s'appelait-il, déjà ? ah oui, Merganser, le baron Merganser, Dagobert de son prénom, à en croire le *Boyles*, qui faisait visiter aux petites la demeure de sa belle-sœur… Mais pourquoi donc cette maison-là, et pas la sienne ? Essayait-il de passer pour qui il n'était pas ? Ou de ne pas passer pour qui il était ? Et pourquoi des orphelines ? La charité ne semblait pourtant guère son genre. Et pourquoi maintenant précisément ? Alors qu'il tenait captive quelque part sa nièce fortunée, en vue de la marier de force à son fils ? *La cérémonie est prévue dans une petite chapelle privée…*

Une chapelle ! Nom d'un… Y avait-il des chapelles dans les orphelinats ? Oui, probablement, mais faute de certitude, j'allais devoir enquêter. Car je m'emballais peut-être, la présence d'un orphelinat dans les parages pouvait n'avoir aucun lien avec notre affaire. Qui plus est, rien ne prouvait qu'il y eût un rapport quelconque entre les orphelines aperçues à Inglethorpe et les sarraus bruns que je devinais là-bas, sans compter que leur visite chez la vicomtesse pouvait être totalement fortuite, et d'ailleurs…

N'empêche ! Comme l'aurait dit mon frère Sherlock, la coïncidence était suggestive, non ? C'était une piste possible, la première, la seule, et je n'avais le temps ni de l'examiner ni de tergiverser. Si rien n'était fait, c'était le lendemain que lady Cecily risquait de se retrouver mariée contre son gré. Pas le temps de faire dans la dentelle…

Deux heures plus tard, m'approchant à pied de la Fondation Witherspoon pour Orphelines & Jeunes Filles délaissées, je cherchai des yeux un détail pouvant suggérer une chapelle. Un vitrail, par exemple ; une fenêtre en ogive, une croix… Mais je n'avais vue que sur la partie supérieure d'une lourde bâtisse à trois étages, cernée d'une haute palissade de planches dénuée de toute fente ou fissure où coller un œil. Pas bien gai, ce rempart de bois gris. Triste à pleurer, même. Mais parfait pour la circonstance, car une petite mine chagrine était juste ce qu'il me fallait.

Je m'étais changée en orpheline – ou en jeune fille délaissée, au choix. Un peu grandelette, peut-être, et montée en graine, mais seule au monde néanmoins, sans appui, sans soutien. Pour me faire une silhouette crédible, j'avais renoncé à tous mes « embellisseurs » et capitons. Héroïque décision, car c'était renoncer à mon armure – non seulement corset et dague, mais aussi précieux arsenal. Je n'avais conservé sur moi, dans mes poches, que les deux ou trois accessoires m'ayant paru vitaux.

Et pas la moindre denrée consommable, hélas ! Or je n'avais pas trouvé le temps d'avaler un morceau. Mon estomac criait famine et je me sentais un peu faible, mais après tout c'était l'idéal pour le rôle que je m'allouais. À l'aide d'un peu de vinaigre et de savon, je m'étais fait un teint brouillé, puis, d'un soupçon de noir de charbon, des yeux cernés et des joues creuses. Mes pauvres cheveux pendouillaient sur mes épaules, graissés de suif de bougie et emmêlés avec art pour les besoins de la cause. J'avais repris ma tenue de chiffonnière, deux fois trop large pour ma silhouette, et poussé le souci du détail jusqu'à l'améliorer d'un accroc ou deux. Je m'étais emmailloté les pieds de chiffons et j'avais enfoncé sur ma tête un vieux cha-peau melon récupéré dans la rue, qui avait dû passer sous les sabots d'un cheval ou les roues d'une voiture. L'effet me semblait convaincant.

Tout comme devait l'être mon pas incertain. Pour l'observateur, j'espérais avoir tout d'une pauvre adolescente rassemblant son courage avant de sonner au portail, hésitant à troquer une liberté famélique contre un estomac plein, une affreuse coupe de cheveux et une discipline de fer. L'observateur, bien sûr, n'avait pas à savoir que l'orpheline vacillante était en réalité une « spécialiste en recherches (toutes disparitions) » qui s'interrogeait : allait-elle ou non prendre le risque d'envoyer d'abord un message à son frère ?

Pour finir, après avoir longé par deux fois l'austère palissade – et constaté qu'il semblait bien n'exister qu'un seul accès à cet honorable établissement –, je fis retraite momentanément.

Momentanément, le temps de griffonner un billet dans lequel, je dois le dire, je me montrais plus sûre de mon fait que je ne l'étais en réalité :

Sherlock,

Demain matin, peu avant la mascarade nuptiale que vous savez, C. A. tentera de quitter l'orphelinat Witherspoon, 472, Huxtable Lane, un éventail rose à la main. Veuillez l'attendre au portail. Je compte sur vous pour la prendre en charge à partir de là.

E. H.

172

D'une main tremblante, je refermai ce pli et inscrivis l'adresse : 221 b, Baker Street.

Si je tremblais un peu, c'est que je risquais gros. Tout en moi me criait de respecter cette règle d'élémentaire prudence : ne jamais, au grand jamais, souffler à mes frères la moindre idée de l'endroit où je pourrais me trouver à un moment donné. À coup sûr, muni de ce message, Sherlock allait tenter de remonter jusqu'à moi... Mais qu'importait, au fond ? Après tout, je ne comptais pas prendre racine sur place. Et les indications qu'il n'allait pas manquer d'extorquer du porteur du message lui suggéreraient seulement que j'étais déguisée en gamine des rues... Oui, mais si, demain matin, il se faisait accompagner ? Pas seulement pour secourir lady Cecily, mais aussi pour me capturer, moi ?

Tant pis, je n'avais pas le choix. Il fallait empêcher ce mariage – ma liberté passait après.

Je confiai la missive à un commissionnaire patenté. Il parut un peu estomaqué de se voir remettre un pli – doublé d'honoraires substantiels – de la main d'une petite déguenillée. Mais je savais qu'il livrerait mon message sans faillir, parce que c'était son métier, son devoir.

À présent, l'heure était venue. Je regagnai donc l'institution d'un pas ferme – ou plutôt d'un pas

chancelant, car j'avançais en gardant les jambes légèrement fléchies sous ma jupe, tant pour paraître un
peu moins grande que pour évoquer un rien de rachi-
tisme. Arrivée au portail, je me fis larmoyer un bon
coup en me tamponnant les yeux d'un chiffon impré-
gné de jus d'oignon, puis, prenant mon courage à deux
mains, je tirai la sonnette.

« Prénom ? »

Assise derrière ce qui lui tenait lieu de bureau, la
bonne dame à la réception, plus incolore qu'il n'est
permis, se penchait sur sa fiche.

« Peggy, ma'am. » Surtout, ne pas oublier de
conserver les genoux pliés. L'effort me faisait tanguer,
mais ce n'en était que mieux.

« Nom de famille ?

– Juste Peggy, ma'am.

– Parents ?

– Pas connus, ma'am. » Je reniflai. Je forçais tant
que je pouvais sur l'accent cockney. Trop grande
et trop âgée pour inspirer l'attendrissement, j'avais
résolu de faire très sobre : deux ou trois larmes, et
rien de plus.

À travers mes cils, je vis la plume cocher une case :
Naissance illégitime.

Elle reprit néanmoins : « Date et lieu de naissance ?

– En sais rien, ma'am.

– Baptisée ?

– De quoi, ma'am ?

– As-tu été baptisée ?

– Comment j' le saurais, ma'am ? » Des larmes dans la voix, et mon estomac décidant judicieusement de gronder haut et fort.

Elle posa les yeux sur moi, puis saisit une petite cloche et la fit tinter. Cette clochette était, je le notai, de la même forme que son énorme coiffe blanche.

Au son de la cloche, une enfant surgit, semblable à celles que j'avais déjà aperçues en ce lieu : regard fixe, pas de sourire, cheveux au carré, sarrau marron – qui se révélait, vu de près, à petits carreaux bruns et blancs. Sous le sarrau se devinait une robe marron plus laide encore.

« Oui, madame ?

– Va chercher du pain et du thé, ma fille.

– Oui, madame. » La petite salua et s'éclipsa.

« Assieds-toi, Peggy, me convia la dame. As-tu déjà été incarcérée ?

– Incquoi, ma'am ?

– Es-tu déjà allée en prison ?

– Non, ma'am.

– Es-tu déjà allée à l'hospice ? »

À cette pluie de questions, je répondis de mon mieux, me forçant à trembler et engloutissant méthodique-ment – sans me forcer – le pain noir arrosé de thé clair que la petite avait apporté. C'est ainsi que la dame de l'accueil établit, cochant ses cases, que j'avais reçu peu ou pas d'instruction, que je n'avais pas suivi l'école du dimanche, que je ne disposais ni d'argent ni de biens, ni de famille, ni d'amis pouvant assurer mon entre-tien, que je n'avais jusqu'ici bénéficié d'aucune aide paroissiale, et pas souvenir non plus d'avoir contracté la coqueluche, la diphtérie, la scarlatine ou la scrofule.

« Crises d'épilepsie ?

– Non, ma'am.

– Incontinence d'urine ?

– De quoi, ma'am ? »

Elle retint une mimique d'agacement et précisa, narines pincées : « Est-ce qu'il t'arrive de mouiller ton lit ?

– Oh non, ma'am !

– Bien, euh… » Son regard revint en haut de sa fiche. « … Peggy. » Elle posa la plume, agita de nou-veau sa clochette, et c'est une grande fille d'à peu près mon âge qui apparut cette fois, chargée d'une brassée de vêtements où dominaient les petits carreaux bruns et blancs. « ... Tu as assez mangé pour le moment. À présent, tu vas suivre la jeune fille que voici et prendre un bain, après quoi, je t'examinerai pour m'assurer que tu... euh, n'as rien de contagieux, et pour te couper les cheveux. »

J'attendais ce moment.

« M' couper les cheveux, ma'am ? » Ouvrant de grands yeux, je fis mine de reculer. « J' veux pas qu'on m' coupe les cheveux, moi, ma'am.

– Si tu veux rester ici, il faut te les faire couper, ma fille.

– Mais, ma'am...

– Désires-tu être nourrie, logée, blanchie, éduquée ? Si oui, tu dois avoir les cheveux courts, c'est une simple question d'hygiène. As-tu été vaccinée contre la variole ?

– Voulez dire... m'écorcher la peau pour y mett' du poison, ma'am ? » Je tenais là le meilleur prétexte pour feindre la terreur : dans les classes populaires, l'horreur de la vaccination était grande. « Oh non, ma'am, ça, j' veux pas. J' veux pas !

– Sottises ! D'abord, ce n'est pas du poison qu'on met, et puis il ne s'agit pas d'écorcher, c'est juste une minuscule incision. Ici, toutes nos pensionnaires sont vaccinées contre la variole. »

C'était dit si sèchement que je n'eus aucune peine à me récrier : « J' crois pas pouvoir le supporter, ma'am !

– En ce cas, il faut retourner à la rue.

– Non, ma'am, pitié, j'ai faim.

– Si tu veux rester, il faut faire ce qu'on te dit. À toi de décider. »

Mimant l'indécision, je me tordis les mains. « C'est dur de décider ! Faut d'abord que je dise des prières. Juste quelques prières, ma'am. Y' a bien une chapelle, ici ? »

Elle posa sur moi un regard soudain dubitatif, mais cette pieuse requête pouvait difficilement être repoussée, surtout en présence de la « jeune fille » qui se tenait là – muette, impénétrable, et sans doute fermement conviée à prier plusieurs fois par jour.

« Bon », marmonna-t-elle, et elle se tourna vers la jeune pensionnaire. « Emmène-la à la chapelle, et retourne vite à tes tâches. J'irai la chercher d'ici cinq, six minutes. »

Cinq, six minutes ? Il ne m'en fallait pas plus.

Sans un mot, d'un pas de gendarme, mon guide me mena à la chapelle, modeste sanctuaire mal éclairé jouxtant le bâtiment principal. Là, c'est à peine si j'attendis d'entendre les portes se refermer sur mon guide. Sitôt seule en ce saint lieu, je jaillis de mon banc, roulai en balluchon sous mon bras les vêtements posés à côté de moi et me trouvai une cachette. J'étais recroquevillée sous la chaire lorsque les portes se rouvrirent.

« Petite ? » C'était la dame de l'accueil. « Où es-tu, mon enfant ? » Il y eut un silence, le temps pour elle de se remémorer mon nom, et l'appel se fit plus sec : « Peggy ! Viens ici immédiatement ! »

Je ne bougeai pas d'un pouce. L'autre se mit à grommeler : « Où est-elle passée, cette petite sotte ? »

Je l'entendis ressortir, en vue d'aller enquêter sans doute, et ne perdis pas une seconde. Il me fallait une meilleure cachette, au cas où on me chercherait pour de bon. Or j'avais noté que, dans les parties de cache-cache, ceux qui cherchent ont tendance à inspecter le dessous des meubles ou le creux des recoins, bref, à regarder vers le bas beaucoup plus qu'à lever le nez. Grimper étant ma partie forte, c'était vers les hauteurs qu'il me fallait aller.

Je n'en eus pas pour longtemps. L'orgue m'attendait, avec ses tuyaux fusant vers les cintres et son coffrage de bois sculpté qui semblait conçu pour l'escalade. Tout en haut, sur la toile épaisse protégeant l'instrument de la poussière, je commençai par hisser mon balluchon de nippes d'orpheline, puis ma propre personne, par reptations savantes. Là, nichée dans cette sorte de hamac, à moins d'une longueur de bras de la voûte, j'étais en relative sécurité et tout à fait à mon aise lorsqu'un petit groupe pénétra dans la chapelle, manifestement à ma recherche. J'entendis ces dames, plus que je ne les vis, fureter ici, fureter là, ouvrir ceci, cela…

« À mon avis, elle aura pris peur et préféré retourner à la rue.

– Towheedle au portail dit qu'il ne l'a pas vue.

– Towheedle ? Il aura piqué un petit roupillon, pour changer ! Sinon, par où serait-elle sortie ? Or elle n'est pas là, c'est clair.

– Elle est peut-être en train d'errer dans les couloirs. Elle ne m'a pas semblé très futée.

– Moi, je dis qu'elle va aller vers les odeurs de soupe. Pouvez me croire.

– On devrait monter la garde du côté des cuisines, alors.

– Une chose est sûre : elle n'est plus ici. » Elles se tenaient au-dessous de moi, ou quasi. « Il faut donner l'alerte, que tout le monde ait l'œil…

– On avait bien besoin de ça ! Et ce soir justement, comme par un fait exprès. Avec tout ce que nous avons déjà sur les bras, les préparatifs pour demain et tout. »

Préparatifs ? Pour demain ?

« Mais aussi, quelle idée ! Un mariage ici ! À se demander… »

Mariage ? J'avais vu juste !

« Ne pleurnichons pas. Le baron a promis beaucoup. Et pas seulement en espèces. Des avantages de toutes sortes. »

Aha ! Comme la visite guidée d'une belle demeure offerte aux jeunes pensionnaires, par exemple ?

« Je sais bien, mais quel tracas… La petite salle du grenier n'est même pas prête encore. Et il reste toutes les fleurs à mettre.

– Sûr ! Allons-y vite. Assez perdu de temps ici. »

Je les entendis gagner la sortie.

« Cette gamine finira bien par réapparaître.

– Dieu me pardonne, mais je n'y tiens pas. » La dame de l'accueil, sur fond de crissement de porte. « Si vous l'aviez vue… Une petite pouilleuse. Pas de celles que nous aimerions voir croiser le chemin du baron. »

Ah bon ? répondis-je en silence. Ma pauvre dame, si vous saviez…

CHAPITRE XVI

Dans mon nid d'aigle au sommet de l'orgue, je commençai par m'offrir un petit somme, l'estomac calé de pain noir et ne pouvant rien faire d'autre qu'attendre, attendre que l'orphelinat tout entier s'endormît pour la nuit.

Les prières du soir m'arrachèrent au sommeil. Et le réveil fut brutal, car l'orgue faillit bien m'assourdir, au sens propre, même avec mes doigts en bouchons d'oreille, tandis que tout mon corps vibrait à l'unisson du souffle des tuyaux. Expérience traumatisante, et doublement, car j'entendis l'organiste déclarer, en gagnant la sortie, que son instrument lui avait paru produire un son étrange, comme s'il était bouché ! Longtemps encore, une heure au moins, je restai allongée sans bouger, redoutant la venue de quelque inspecteur d'orgue ou l'explosion de ma pauvre tête. Mais rien ne vint. Mes oreilles cessèrent de tinter, et pour finir, comme tout semblait calme, je redescendis de mon perchoir prudemment, à tâtons d'un bout à l'autre, car il faisait noir comme chez le loup.

Auparavant, cependant, je m'étais dépouillée de mes haillons, que j'abandonnai en haut de mon perchoir. Par-dessous, je portais une fine robe de mousseline enfilée tout exprès, et je la gardai sur moi. Mon uniforme d'orpheline toujours sous le bras – il pouvait rendre service –, je gagnai l'autel à l'aveuglette, afin d'y allumer un cierge ou deux.

Ici, j'ai un aveu à faire. J'avais beau me déclarer esprit fort et rationaliste, j'éprouvais un certain malaise d'user ainsi d'objets sacrés. Et lorsque, grâce à ces cierges, je fis usage des fonts baptismaux pour un brin de toilette à l'eau bénite, ce malaise grandit encore. Un lieu de culte plongé dans l'ombre au cœur de la nuit a quelque chose de vaguement inquiétant et, sitôt que j'eus débarbouillé mon visage et relevé mes cheveux en modeste chignon, je me hâtai de quitter l'endroit.

Suite du programme : trouver cette « petite salle du grenier » qu'on apprêtait au nom du baron.

Mon raisonnement – juste ou bancal – était le suivant : puisque c'était contrainte et forcée que lady Cecily allait se faire unir à Bramwell le crapaud, nul doute qu'elle serait amenée à cet orphelinat en toute confidentialité, probablement par bateau et peut-être même avant l'aube. Dans la haute société, l'usage était de conduire la jeune mariée à l'église juste avant la cérémonie, en grande pompe et dans sa robe blanche. Allaient-ils déguiser en mariée leur garçon d'écurie, celui qui avait joué le rôle de Cecily lors des petites promenades de santé en landau ? Non, sûrement pas. Pour cette union sans consentement, le baron et la baronne se devaient d'opérer sous le manteau. Une fois le mariage devenu *fait accompli*[1], il serait bien temps de pavoiser.

Malgré tout, j'avais peine à croire que ces gens-là, épris de grands tralalas comme ils semblaient l'être, allaient se priver de tous les fastes du mariage de haut rang. *Il vous faut un trousseau, et vous aurez un trousseau…* Pauvre Cecilia. Assurément, ses marraines fées, Aquilla et Otelia, tenaient à lui faire revêtir le costume du rôle, la robe blanche de la jeune mariée rougissante.

Donc, si je ne me trompais pas, tenue de mariée, oui, mais arrivée discrète. Conclusion : la jeune épousée allait se faire habiller et parer sur place.

Voilà pourquoi, sans doute, il fallait cette « petite salle du grenier ». À peu près sûrement, toutes les

---

1. En français dans le texte.

autres pièces de l'établissement étaient occupées. Or l'habillage d'une jeune mariée exige une certaine intimité.

Et plus encore lorsque l'idée de se marier ne vient pas d'elle.

Je savais ce qu'il me restait à faire. M'inviter à la cérémonie, bien cachée, attendant mon heure.

Mais je ne voyais toujours pas au juste comment mener à bien ce beau programme.

Je me coulai hors de la chapelle et retrouvai les corridors – toute une enfilade –, chichement éclairés par des lampes à gaz en veilleuse. C'est alors que j'entendis des pas, et une réprimande à mi-voix : « Et qu'est-ce que tu fais hors du lit, toi, hein ? »

Bonté divine ! Y avait-il donc toujours quelqu'un debout, dans un orphelinat ? Par bonheur, l'été précédent, ayant dû tromper nuitamment, à maintes reprises, la vigilance de mon frère Mycroft, j'avais appris à circuler à pas de velours. Sur la pointe des orteils, sans perdre une seconde, je pris donc la direction opposée, m'élançai dans un escalier que je gravis d'un trait jusqu'au premier étage, puis, dans la foulée, jusqu'au second, après quoi, une dernière volée de marches, aussi étroite que raide, m'amena au grenier. Je me jetai sur la porte.

Close. Et fermée à clé, comme de bien entendu.

Mais la serrure, modèle ancien, était des plus faciles à crocheter. Une épingle à cheveux y suffit, et je me faufilai dans la pièce par la porte entrebâillée, que je refermai sur moi sans bruit. Avec un sentiment de triomphe, j'allumai le bout de cierge emprunté à la chapelle et inspectai les lieux.

Des malles. Une vieille cage à oiseaux. Un fauteuil à bascule manchot – et autres rossignols poussiéreux, drapés de toiles d'araignée.

Le temps d'un battement de paupières, je fus aussi horrifiée qu'incrédule. Où m'étais-je fourvoyée, une fois de plus ? Ce n'était pas la première fois que l'un de mes beaux raisonnements s'effondrait. Je n'étais qu'une incapable, une…

Du calme, Enola. Réfléchis plutôt.

Je réfléchis donc. Et finis par comprendre qu'une bâtisse pareille avait à coup sûr plusieurs greniers. Il n'était que de persévérer.

Persévérer fut le mot. Je ne rapporterai pas ici le détail de mes essais et erreurs – j'en serais bien en peine, d'ailleurs, m'étant empressée d'oublier mes tentatives malheureuses. Disons simplement qu'après plusieurs heures de tâtonnements et de déconvenues, ponctuées d'instants de pure terreur, je touchai enfin au but. Aux premières lueurs de l'aube, à mon grand soulagement, une porte s'ouvrit obligeamment sur ce qui ne pouvait être que la « petite salle du grenier » : une pièce de dimensions moyennes, dégagée, astiquée de frais, pimpante. Avec une coiffeuse dans un angle, une psyché, un fauteuil et cinq ou six chaises.

Sans parler d'une grande forme claire et fantomatique pendue au plafond, qui cascadait jusqu'au plancher où elle achevait de mousser en flaque blanche.

Blanc sur blanc. Sous un pan de drap faisant housse, le revenant qui lévitait là n'était autre qu'une robe de mariée, aussi somptueuse qu'extravagante, avec une traîne de dentelle toute scintillante de pampilles de verre et longue d'au moins neuf ou dix pieds[1].

Juste à côté, non moins somptueux, pendait un long voile blanc surmonté d'un diadème. Et non loin de là, sur un tabouret, une paire de souliers blancs me fit ouvrir des yeux ronds. Oh ! le cuir en était fin, sans doute de l'agneau, couleur de neige, et la coupe, sans reproche – mais ces semelles, mes aïeux ! Plus épaisses que celles des sabots que chaussaient les élégantes, jadis, pour se hisser au-dessus de la boue ; au moins

---

1. Environ trois mètres.

deux fois aussi épaisses que celles qu'on voit, sur les gravures, aux pieds des geishas japonaises. Porter des chaussures pareilles devait revenir à essayer de circuler sur échasses.

Il me fallut un instant pour comprendre. Diabolique ingéniosité ! D'une pierre, deux coups : perchée là-dessus sous sa longue robe, la jeune mariée ne risquerait pas de s'enfuir ; dans le même temps, elle paraîtrait plus grande, plus adulte, plus imposante aussi dans ses atours nuptiaux.

Pauvre petite lady Cecily, qui ne rêvait que de dessiner, de lire, de s'efforcer de comprendre le monde pour tenter de l'améliorer un peu ! Se retrouver à la merci d'une vicomtesse Otelia et d'une baronne Aquilla ? Harpies ! les injuriai-je en pensée. Vieilles toupies ! Vous allez voir !

Mais d'abord il me fallait une cachette, un coin où attendre mon heure.

Et ce détail qui m'avait paru secondaire se révéla un point ardu. Je commençai par souffler mon bout de cierge – surtout, ne pas le faire à la dernière minute : rien de plus traître qu'une odeur de mèche fumante – et, sitôt qu'il fut refroidi, je l'escamotai dans ma poche. Ah ! si seulement ma longue silhouette s'était laissé escamoter aussi aisément ! Dans le jour blafard qui tombait des lucarnes, je cherchai où me blottir, mais cette mansarde nue comme la main n'offrait pas le moindre recoin. Ni sofa sous lequel ramper, ni armoire ni placard dans lesquels me tapir, ni tentures derrière lesquelles me plaquer, pas même de nappe juponnant la coiffeuse.

J'étais là, perplexe, au milieu de la pièce, lorsque des pas se firent entendre au bas de l'escalier.

Dieux cornus ! Que faire ? Il n'y avait qu'une solution, une seule, mais il m'en coûtait de l'admettre, car l'idée suffisait à me donner le frisson, plus encore que celle d'user d'eau bénite et de cierges d'autel. Pourquoi ? Je n'en savais rien ; après tout, j'appréciais les beaux vêtements, or cette robe était raffinée avec sa coupe princesse, ses manches bouffantes, cette soie qui chatoyait sous de la dentelle fine, comme je pus le constater lorsque je soulevai le drap qui la recouvrait à demi. Mais tout ce blanc nuptial me donnait le vertige.

Quelques secondes encore j'hésitai, puis les pas se firent proches. Alors, prenant mon souffle comme pour un plongeon en eau glacée, je soulevai à deux mains l'ourlet lesté de perles, me coulai par-dessous, puis me relevai, droite comme un I, sous cette cloche soyeuse. Bénissant l'ampleur de la jupe à godets, je rangeai mes pieds sous la traîne afin d'être bien certaine que rien ne dépassait, puis je me tins immobile et, tout autour de moi, l'étoffe reprit son tombé naturel.

Ou, du moins, je voulais le croire.

Piétinements superposés ; plusieurs personnes entraient dans la pièce. Suivit un bruit sourd, celui d'une charge posée à terre, et une voix matriarcale décréta : « Parfait, Jennie. Bien, ici, je ne pense pas qu'elle puisse grand-chose. Vous pouvez retirer son bâillon. »

Quoi ?! Elles l'avaient bâillonnée, ces furies, ces vieilles biques ? (Aucune appellation ne me semblait assez forte.) Voulant jeter un regard pour voir dans quel état Cecily pouvait être, je collai un œil à la fente du corsage. Peine perdue. Je n'avais vue que sur un arrière-train luxuriant, drapé de mauve et de crème. Une légère dissymétrie en désignait la propriétaire : la vicomtesse Otelia.

Puis le noble postérieur se déplaça, laissant entrevoir son pareil, non moins paré, tendu de soie gorge-de-pigeon : celui de la charmante Aquilla.

Juste à côté, de dos toujours, se tenait une robe à petites fleurs sur fond noir, très simple, avec des brides blanches nouées par-derrière : un tablier, sans doute. Une femme de chambre dans l'exercice de ses fonctions ; Jennie, probablement.

Les trois étaient tournées vers une quatrième personne, qui semblait s'être jetée dans la bergère à l'autre bout de la pièce, le plus loin possible de la robe blanche qui me camouflait.

De cette personne, je n'apercevais qu'un pan de jaune citron, le jaune de cette odieuse jupe entrave dans laquelle, quelques jours plus tôt, j'avais vu Cecily en certain établissement d'Oxford Street. J'en eus le cœur serré ; pauvre petite lady gauchère, que n'essayait-on de lui faire ! Dans le même temps, un détail me réjouissait : du caractère, elle en avait, bien plus que ne lui en attribuait Sherlock. La preuve ? Elle résistait encore.

C'était Aquilla qui venait de parler, une Aquilla enrubannée, fanfreluchée, colifichetée au-delà de toute description, et elle enchaîna bientôt : « Parfait, Jennie. Faites au mieux avec elle. Nous allons voir ce qu'il en est de la chapelle et des fleurs de l'autel. Quant à vous, poursuivit-elle à l'adresse de la forme jaune citron – et sa voix monta d'un ton –, tâchez de faire meilleure figure. Ou vous le regretterez, croyez-moi. Tenez-vous à être privée de votre repas de noces tandis que nous festoierons pour vous ? Venez, Otelia… À tout de suite », conclut-elle à l'intention de Jennie.

Et, à grands froufrous majestueux, les deux femmes quittèrent la pièce.

Je voyais pleinement Cecily, à présent. Le front bas, les épaules tombantes, tout en elle disait l'accablement. Elle semblait moins amaigrie que je ne l'aurais craint – après tout, ils ne pouvaient pas l'affamer vraiment –, et pourtant, quelque chose en elle avait rétréci. Son visage, peut-être, plus frêle, plus diaphane. Les yeux y paraissaient plus grands, noyés d'ombre. Mon cœur sombra. Et si les forces venaient à lui manquer ? Pour ce que j'avais en tête, il allait lui en falloir, des forces.

« Allons, miss Cecily, lui dit Jennie d'une voix douce. Parfois, il faut savoir accepter. Quand on n'a pas le choix, mieux vaut faire contre mauvaise fortune bon cœur. Voyez donc votre robe, comme elle est belle ! Regardez ces fleurs d'oranger. Et ces lis. Oh ! et ces jolis petits rubans. Vous les avez vus, ces rubans adorables que lady Aquilla a fait tresser dans votre bouquet ? »

Traversant la pièce d'un pas résolu, elle alla prendre, derrière la porte, un grand carton à chapeaux déposé là, le plaça sur une chaise, en retira le couvercle et se mit en devoir d'en inventorier le contenu.

Son attention tout entière à la tâche.

C'était le moment ou jamais.

De l'une de mes poches, je tirai certain objet de papier, rose bonbon. Puis j'entrouvris le corsage de la robe, passai la tête à l'échancrure, l'éventail contre mon menton en guise de signal, dans l'espoir fou que lady Cecily me reconnaîtrait et saisirait le message que je lui adressais là.

Allait-elle seulement lever les yeux ?

Elle les leva ; elle avait dû percevoir le mouvement. Instantanément, elle se figea. J'éprouvai de nouveau cette impression de choc – de choc électrique ? – lorsque nos regards se croisèrent. Pour elle, assurément, le choc était plus vif encore, et ses yeux sombres se firent immenses.

Désignant de la tête la servante occupée, je signalai par mimiques, doublées de mots articulés en silence, espérant qu'elle lirait sur mes lèvres : « Envoyez-la dehors. »

Comment elle pourrait s'y prendre, alors que cette brave Jennie avait reçu l'ordre de la tenir à l'œil, je n'en avais pas la moindre idée. Mais j'avais tort de m'inquiéter, car elle s'acquitta de la mission avec maestria, alors même que je rentrais la tête dans ma cachette de neige : se laissant glisser à bas de son siège, elle s'effondra sur le plancher avec un petit bruit mat et ne bougea plus, comme évanouie.

J'entendis la femme de chambre s'alarmer : « Miss Cecily ? » Puis des bruits de pas précipités, de petits cris de panique. « Miss Cecily ! Miss Cecily, revenez à vous ! Oh ! doux Jésus. Un flacon de sels ! Vite, un médecin ! Au secours ! »

Et cette brave Jennie de se ruer dehors pour aller chercher de l'aide.

Il n'y avait pas une seconde à perdre. Sitôt la servante hors de vue, j'émergeai de ma cachette, telle la perdrix sortant des blés, et me jetai sur la porte pour la fermer à clé, alors même que sonnait encore le pas fiévreux de Jennie dégringolant l'escalier.

« Et voilà ! » soufflai-je, me retournant vers Cecily.

Elle gisait à terre, inerte.

Juste ciel ! Ce n'était donc pas un subterfuge. Elle s'était bel et bien évanouie.

Et si je ne parvenais pas à la ranimer ?

CHAPITRE XVII

Je m'agenouillai près d'elle, me sentant défaillir à mon tour. Mais elle eut un petit soupir, battit des cils, ouvrit les yeux pour de bon et les posa sur moi avec une sorte de stupeur joyeuse. Puis elle chuchota, incrédule : « Enola ? »

Quelle étrange sensation que d'entendre ainsi prononcer mon nom, mon vrai nom ! J'en restai sans voix.

« Enola ? » Sa main gauche voleta, se posa sur mon bras. « Vous… revoilà ?

– Chhhut. » Ce simple geste me touchait aux larmes, mais ce n'était pas le moment de faiblir. M'obligeant à agir, je farfouillai dans une de mes poches pour en tirer un bonbon, une de ces pastilles reconstituantes que j'avais toujours sur moi. Elle la fourra dans sa bouche, puis, galvanisée moins par le sucre que par ma présence, je pense, elle se redressa pour s'asseoir, et me trouva occupée à délacer ses bottines.

« Nous allons vous déguiser, lui annonçai-je tout bas. Pour que vous puissiez fuir. D'accord ?

– *D'accord ?* Bien sûr que oui, mystérieuse amie ! »

Sitôt déchaussée, elle sauta sur ses pieds et entreprit de se dépiauter de sa jupe diabolique. Mais cette maudite parure ne se laissa pas faire de la sorte, pas plus que la blouse assortie. Dans la bonne société, les atours étaient ainsi conçus qu'aucune femme ne pût se vêtir ni se dévêtir sans l'assistance d'une chambrière. Je l'aidai donc à défaire ses lacets, agrafes et rubans, non sans en arracher la moitié, et alors seulement, telle la libellule s'extirpant de son fourreau natal, elle acheva d'émerger de cet accoutrement, le laissant choir à ses pieds autour d'elle.

Pendant ce temps, je courais chercher, sous la robe nuptiale, le petit paquet de frusques marrons, galoches incluses, remis à « Peggy » la veille.

« Nous allons vous changer en orpheline.

– Oh ! j'en suis presque une », dit-elle d'un filet de voix ; mais ses traits s'éclairèrent lorsqu'elle vit ce que je lui tendais, et c'est tout juste si elle ne m'arracha pas le paquet des mains.

Moi aussi, j'étais pressée de la revêtir de cet uniforme, mais, fébriles comme nous l'étions toutes deux, nous ne cessions de nous gêner l'une l'autre. Par-dessus le marché, j'avais des consignes à lui donner, et de la première importance.

« Écoutez-moi bien, Cecily. Sherlock Holmes – vous connaissez, n'est-ce pas ?

– Votre frère, c'est ça ? »

Oups ! J'en étais un peu estomaquée. « Vous n'avez parlé de moi à personne, j'espère ?

– Bien sûr que non. Avez-vous parlé à quiconque de mes dessins au fusain ? »

C'était dit sur un ton d'évidence ; elle savait que je n'en avais rien fait. Réprimant un sourire, j'enchaînai : « Votre mère a engagé Mr Holmes pour vous venir en aide. Elle s'est retirée à la campagne, dans sa famille, avec vos frères et sœurs. Mr Holmes va vous conduire à elle. Mais que le diable emporte ces bas qui s'entortillent ! »

Il nous fallut une éternité pour l'harnacher au mieux de cette robe étroite et rêche, de ce sarrau raide et mal coupé, de ces bas râpeux et de ces galoches au cuir dur comme du bois. Une éternité, autrement dit plusieurs minutes. Au moins étions-nous seules encore lorsque je me mis en devoir de camoufler ses longs cheveux sous la charlotte de coton blanc.

Damnées boucles, épaisses et soyeuses, elles ne cessaient de glisser comme des anguilles !

« On n'y arrivera pas, lui chuchotai-je, commençant à m'affoler parce que le temps galopait. Et comment vous faire passer pour une orpheline avec des cheveux aussi longs ?

– N'y a qu'à les couper !

– On n'a pas le temps ! » Mais ce disant, je saisissais les ciseaux repérés dans le carton à chapeaux, de stupides petits ciseaux de brodeuse tout juste bons à couper des rubans, et déjà, je commençais à taillader les lourdes mèches, à peu près à la hauteur des oreilles de Cecily.

À peine m'étais-je mise à l'œuvre que des bruits de pas sonnèrent au bas des marches de bois. Cecily eut un sursaut de chevreuil.

« Hé ! Ne bougez pas ! »

Elle s'immobilisa, mais, du coin de la bouche, me souffla : « Enola, je voulais vous dire. Merci pour…

– Chut », fis-je très bas, continuant de massacrer frénétiquement ses longues mèches souples, et les fourrant dans ma poche faute de savoir qu'en faire.

À la porte, par deux fois, la poignée tourna, crissa ; en vain, et une voix s'écria : « C'est barré ! »

Jennie.

Ce qui ne l'empêchait pas de s'escrimer, frénétique, à faire tourner cette poignée, réaction des plus classiques.

« Poussez-vous », ordonna une autre voix, celle de la baronne ou de la vicomtesse, elles avaient le même

timbre. « Sotte que vous êtes : elle vous a roulée ! »
Une série de bruits sourds non identifiés s'ensuivit.
Elles n'avaient tout de même pas poussé la malheureuse Jennie dans l'escalier ? Là-dessus, la voix somma : « Cecily ! »

C'était si impérieux, si rageur que la frêle nuque sous mes ciseaux tressaillit.

« Chut ! répétai-je, très bas. Surtout, pas un bruit. Ramenez vos cheveux de devant sur votre visage, s'il vous plaît. »

Elle s'exécuta, tandis que de nouveau la poignée de porte était prise de spasmes.

« Cecily ! Ouvrez cette porte, que nous entrions ! criait l'une des sœurs.

– Ouvrez immédiatement ! » couinait l'autre.

Et ainsi de suite, en chœur et en canon.

« Cecily ! Petite ingrate !

– Ouvrez-nous, ou vous le paierez cher ! »

Puis elles changèrent de ton. « Il doit bien y avoir une autre clé, s'avisa l'une d'elles.

– Jennie ! Allez chercher le double de la clé. »

Aïe aïe aïe !

Mais j'arrivais au bout de mon ouvrage. « Et voilà, chuchotai-je, sacrifiant une dernière lourde mèche. Terminé. » Je repris la charlotte de coton, en coiffai

Cecily prestement… Et quelle adorable orpheline nous avions là ! Plus petite que moi d'une tête au moins, chaussée de ces grosses galoches et vêtue de cet uniforme trop long pour elle, tels les enfants dont on prévoit qu'ils vont grandir vite ! Ses cheveux coupés court, et surtout cette frange sur son front, la rendaient méconnaissable. « Splendide ! » lui soufflai-je.

Elle ne me rendit pas mon sourire. Ses grands yeux dévorés d'angoisse imploraient mon aide. « Mais maintenant, Enola ? Comment… »

Comment, en effet, assurer sa fuite, alors que l'ennemi piaffait sur le seuil ?

« Et dites aussi aux hommes de venir, qu'ils enfoncent cette porte ! criait l'une des tantes par-dessus la rampe.

– Et viiite ! s'égosillait l'autre.

– Oui, madame. Tout de suite, madame », répondait la voix de Jennie, de plus en plus ténue, tout en bas.

Cecily se mordait les lèvres, se retenant de fondre en larmes.

« Ne vous inquiétez pas », lui glissai-je à l'oreille. Sur la pointe des pieds, je regagnai la robe de mariée suspendue et, d'un même geste, je la décrochai de son cintre et la débarrassai du drap. Après quoi, résolument, je l'enfilai.

Les yeux de Cecily s'écarquillèrent plus encore et sa bouche s'entrouvrit sur un cri muet.

«C'est pour vous faire gagner du temps, lui soufflai-je. Tenez…» Plongeant la main, sous la robe blanche, dans la poche de ma petite robe de mousseline, j'y repris l'éventail de papier rose, sur lequel j'avais griffonné le message ci-dessous, au cas où…

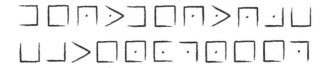

«Prenez ceci, dis-je. Maintenant, plaquez-vous contre le mur à droite de la porte, afin d'être cachée lorsqu'elle s'ouvrira. Dès que tout le monde sera entré, filez, vite! Courez au portail et montrez ceci à Mr Holmes, ou à l'un de ses amis, qui doit vous y attendre.»

De nouveau, des pas gravissaient l'escalier.

«Voilà, j'apporte un double de la clé, madame», annonçait une voix hachée.

Le temps me manquait pour boutonner la kyrielle de petits boutons perlés qui s'alignaient dans le dos de ma robe. Je n'eus que le temps d'empoigner le voile et de me coiffer de son diadème, prenant soin de faire retomber devant mon visage les multiples voilages de tulle blanc, après quoi je me jetai dans la bergère où Cecily s'était assise.

À la porte, la serrure cliqueta.

Je retins mon souffle. Tant que je resterais recroquevillée sur mon siège, enfouie sous cette neige de noces, tant que je ne laisserais pas voir ma stature réelle, sauf erreur, nul n'aurait de soupçons sur mon identité. Tel était du moins l'espoir fou dont je me rassurais, camouflant sous la jupe mes pieds chaussés de laine, et mes mains dans les replis du voile qui cascadait sur mes genoux.

« Cecily ! » mugirent à l'unisson deux harengères pomponnées, faisant irruption dans la pièce. Puis les voix s'infléchirent en chœur : « Cecily ? »

À travers mes épaisseurs de tulle, j'avais du mal à lire les expressions, mais trois formes à présent formaient un demi-cercle devant moi.

« Elle a mis sa robe », s'ébahissait l'une.

Je les distinguais à peine – et c'est à peine si je vis, dans l'arrière-plan, une vague tache marron émerger de derrière la porte et se faufiler hors de la pièce en un éclair. Pour mieux monopoliser l'attention tandis qu'elle prenait la fuite, je me mis à balancer mon buste en avant, en arrière, en avant, de ce bercement têtu que j'avais observé chez la Folle, au village de mon enfance.

« Cecily ! Arrêtez tout de suite !

– Pourquoi avoir mis votre robe sans nous attendre ? Vous l'avez enfilée tout de travers. Debout ! »

Je répondis d'une sorte de spasme.

« Et cessez de vous tortiller ainsi, c'est grotesque. Qu'est-ce qui vous prend, Cecily ? Donnez voir, que je vous examine. »

Une main voulut soulever mon voile, mais je m'y opposai farouchement. Dans ma tête, j'essayais d'évaluer où pouvait en être la vraie Cecily. Au rez-de-chaussée, à coup sûr ; peut-être hors du bâtiment, peut-être au milieu de la cour ?

« Cecily ! Lâchez ce voile ! » Elle essayait de me l'arracher, oui !

« Arrête, Otelia, tu vas le déchirer ! Le tulle le plus fin de tout Londres !

– Alors force-la à le lâcher !

– Cecily ! rugit Aquilla, m'empoignant les bras avec force, de quoi m'infliger des bleus. Vas-tu obéir ? »

Au lieu de quoi, je me débattis à faire pitié, mais avec une belle énergie.

« Cecily ! » Chacune d'elles me prit par une épaule, et elles se mirent à me secouer comme un prunier.

Parfait. Qu'elles me molestent donc, tant qu'elles y étaient ! La seule difficulté était de garder le silence, ma voix ne pouvant que me trahir.

Plus elles s'acharnaient sur moi, mieux c'était : pendant ce temps, la vraie Cecily prenait le large.

Mais la séance fut interrompue.

« Qu'est-ce que c'est ? Qu'est-ce qui se passe ? » tonna une voix d'homme, celle du baron sans erreur possible.

Baronne et vicomtesse glapirent, choquées par cette intrusion masculine.

« Dagobert ! Bramwell ! s'étrangla celle qui devait être Aquilla. Vous ici ?

– Jennie nous a dit qu'on allait devoir enfoncer la porte, gronda le baron. C'est Cecily qui fait des siennes ?

– Elle a perdu le sens, je dirais ! »

Pour confirmation, je repris mes balancements du torse, allant jusqu'à risquer quelques gémissements pathétiques.

« Pour commencer, reprit la baronne, elle s'évanouit ou fait semblant. Ensuite, elle s'enferme à double tour. Puis elle enfile sa robe toute seule, n'importe comment. Et maintenant, regardez, la voilà qui se balance comme une de ces... » Brusquement, elle se tut. « Jennie ! Allez chercher le vicaire, dites-lui de monter ici.

– Oui, madame. »

J'entendis la servante repartir à pas feutrés.

« Bramwell, ici. À côté de votre fiancée.

– Comment ça, Mère ? gémit le crapaud.

– Faites ce qu'on vous dit ! Ne voyez-vous donc pas dans quel état elle est ? Et les choses ne vont pas s'améliorer, croyez-moi. Vous pensez peut-être que nous allons pouvoir la transporter à la chapelle ? Non, tant pis pour la cérémonie. Il n'y a plus qu'à vous marier ici, tout de suite. »

CHAPITRE XVIII

« **E**xcellente idée ! exulta le baron. Haha ! »

Une seconde ou deux, je crus que mon cœur allait lâcher. *Marier ? Ici ? Tout de suite ?* Un mariage était-il valide quelle que fût la mariée sous le voile ? Mais alors, j'étais prise au piège ! En enfilant cette satanée robe, je m'étais mise en cage !

Ridicule, Enola. Réfléchis.

Je réfléchis donc et conclus, malgré mon cœur battant la chamade, que la situation n'avait en rien empiré. À un moment ou à un autre, je l'avais su dès le début, j'allais devoir prendre la fuite – rien de plus. Mieux : tandis que nous attendions le vicaire, et que je poursuivais mon petit numéro d'hystérie, avec trémoussements, balancements, geignements et frissons violents, l'idée me vint soudain que, peut-être, j'allais pouvoir offrir à ces messieurs-dames la grande scène III de l'acte III.

De même que mon aîné Sherlock, j'ai toujours eu le goût des coups de théâtre. Certes pas à tout propos, mais de temps à autre, à bon escient, c'est le piment de l'existence. Je résolus donc de jouer la névrosée, jusqu'à l'instant où ils tenteraient de me faire prononcer le « oui » fatidique. Alors je répondrais d'un ton posé : « Eh non. Justement pas. » Là-dessus, tandis qu'ils vacilleraient comme des quilles, éberlués, abasourdis, je me redresserais à la manière d'un diable sortant de sa boîte, je me dépouillerais de ce costume de scène et partirais d'un pas digne.

Ou, plus vraisemblablement, je prendrais mes jambes à mon coup.

Sans souliers ? Ah, flûte ! Mais tant pis, oui, sans souliers. À la guerre comme à la guerre. En tout cas, Cecily devait être loin, à cette heure, donc toute l'affaire en valait la peine. Telle était ma conclusion tandis que je me berçais, tressautais, gémissais, haletant de loin en loin pour faire bonne mesure. La robe nuptiale choisie par ces dames avait un col montant d'un modèle alors très en vogue, raide comme du carton et clouté de faux diamants, si bien qu'à chacun de mes mouvements il me griffait les lobes d'oreilles au point de m'arracher un petit sifflement de douleur. Sans conteste, je dois à ce col la qualité de mon jeu d'actrice.

« Ce n'est pas très régulier, marmotta le vieux vicaire lorsque Jennie l'introduisit dans la pièce.

– Vous voyez dans quel état elle est ?

– Oui, oui, je mesure tout à fait le…

– En ce cas, mesurez aussi l'intérêt que vous avez à officier, haha ! Et ne perdons pas un instant ! » décréta la voix reconnaissable entre toutes.

Quelqu'un, Jennie sans doute, posa sur mes genoux une gerbe de fleurs odorantes et entreprit de piquer d'autres fleurs dans mon diadème, entre deux de mes balancements. Pendant ce temps, le restant de l'assistance s'agitait en tous sens, déplaçant les chaises, distribuant les places, s'inquiétant de savoir qui avait les alliances… Aquilla menait son monde à la baguette, et bientôt, bon gré, mal gré, le vicaire commença d'officier.

« Mes biens chers frères, nous sommes ici assemblés sous le regard de Dieu pour unir cet homme et cette femme dans les liens sacrés du mariage… »

Sacrés, sacrés, admettons, mais pas dans le sens où il l'entendait ! Tout en poursuivant mon manège de névrosée, j'écoutais d'une oreille attentive, guettant le signal pour moi d'entrer en scène.

« … Et s'il se trouve dans cette assemblée quelqu'un qui ait quelque motif que ce soit de s'opposer

à la célébration de ce mariage, qu'il parle maintenant… » Baratin ! Personne ne pipait jamais mot.
« … ou se taise à jamais.

– Des raisons de s'opposer ? J'en vois plus
d'une ! » clama depuis la porte une voix mâle et
pompeuse.

Mon petit cri étouffé passa inaperçu, noyé par le
murmure choqué de l'assistance, tout entière tournée
vers l'arrivant.

« Et qui êtes-vous ? » contre-attaqua le baron.

Moi, je le savais, qui était l'intrus. Je le savais sans le
voir. C'était le pire des invités surprises, le plus indési-
rable de tous et le plus redouté de moi, l'être au monde
le mieux en mesure de saborder ma vie entière.

Tout comme il venait de saborder le petit numéro
de bravoure que je m'étais promis.

Curieux comme la vanité offensée peut l'emporter
sur tout le reste. Mes terreurs oubliées, je sautai sur
mes pieds. « Mycroft ! Allez au diable ! Vous ne pouviez donc pas… »

Mais lui poursuivait déjà, sourd aux cris d'horreur
et aux borborygmes ulcérés : « *Primo*, il se trouve que
la mariée n'est pas celle que vous pensez être…

– Vous ne pouviez pas me laisser faire, enfin ? »
achevai-je de m'étrangler.

Et à deux mains, comme on lance un pavé, je lui jetai à la tête mon voile de mariée – diadème, tulle à pampilles, lis et fleurs d'oranger.

Hélas ! je n'eus pas le temps de savourer l'effet produit. Nul doute que ce tulle blanc sur le nez, cascadant depuis son haut-de-forme, lui seyait à la perfection, mais j'en suis réduite à l'imaginer. Car le geste m'avait dégrisée. Suffisamment pour que la raison me soufflât de passer devant lui en trombe et de détaler propre et bien.

La robe nuptiale à demi enfilée en profita pour glisser sur mes chevilles comme une grande flaque de crème fouettée que j'enjambai d'un bond. De toutes mes forces, je priai le ciel d'envoyer Mycroft se prendre les pieds dedans, tandis qu'il se dépêtrait du voile. Et pût-il, dans sa chute, se tordre une cheville et se luxer les deux poignets ! Et que le bon baron lui flanquât un coup de poing sur le nez ! Ah ! c'était Sherlock, à coup sûr, qui avait soufflé à notre aîné où me trouver ! Je les détestais. Tous les deux. Sans savoir pourquoi, tout en dévalant l'escalier, je fus prise de sanglots.

Derrière moi, là-haut, des cris fusaient : « Arrêtez-la ! » « Arrêtez cette gamine ! » « Enola ! Voulez-vous bien revenir ! Attendez ! »

Attendre ? Compte là-dessus et bois de l'eau !

Égrenant mon stock d'invectives, j'atteignais le palier quand mes pieds chaussés de laine dérapèrent sur le bois ciré. Je m'agrippai à la rampe, qui me donna une idée : à Ferndell, en catimini, j'avais maîtrisé le noble art de la descente à cheval sur la rampe, or celle-ci était de bois poli, avec juste le bon rayon de courbure. Je m'installai donc à califourchon…

Je n'ai conservé de cette séquence que le souvenir de mes dents serrées, et de petites silhouettes médusées au niveau du premier palier. En un clin d'œil, ce fut le rez-de-chaussée, et les bruits de poursuite, derrière moi, se firent plus sourds, plus lointains. Nul ne me barra le chemin dans ma course folle à travers le hall d'entrée. Quelques manteaux et bonnets pendaient à des patères. Je décrochai au passage un de chaque, puis me ruai dehors.

Ralentissant le pas pour traverser la cour, j'asséchai mes larmes d'un revers de manche, enfilai le manteau – bleu sombre, d'une coupe austère – et enfouis mes cheveux sous le bonnet, une vieille chose bleu nuit, plus démodée que permis, sans doute la coiffure du dimanche d'une surveillante de l'institution.

Au portail, dans sa guérite, un vieux monsieur ratatiné somnolait, le menton sur son jabot. C'est seulement lorsque je passai sous son nez qu'il s'éveilla en sursaut et m'inspecta de ses petits yeux, son cerveau embrumé cherchant sans doute à retrouver qui j'étais et d'où je pouvais bien sortir.

Je vis ses lèvres trembler, prêtes à formuler la question, mais je le pris de vitesse. De ma voix la plus distinguée, comme si j'étais quelque membre haut placé de l'administration de l'établissement, je laissai tomber sèchement : « Encore en train de somnoler, n'est-ce pas, Towheedle ? Vous devriez avoir honte. Ouvrez le portail. »

Pauvre homme. Il s'exécuta sans mot dire.

Alors je m'enquis : « Auriez-vous vu par ici un gentleman de grande taille, avec un léger boitillement ?

– Boitill… euh, oui, m… » Il hésitait entre « ma'am » et « milady ».

« Et la jeune fille est-elle partie avec lui ?

– La petite avec l'éventail rose ? Oui, m…

– Merci, Towheedle. Ce sera tout. »

Et c'était tout, oh oui, c'était tout. Tout ce que je souhaitais savoir.

Tout ce que je souhaitais à Cecily, aussi. À présent, je le savais, elle était en de bonnes mains. Ses cheveux repousseraient, ils retrouveraient leur grâce.

Et elle, j'en étais sûre, elle finirait par se trouver elle-même, par s'accepter – trouver sa place en ce monde. En attendant, elle allait surtout retrouver la tendresse de sa mère.

Oh ! avoir une mère comme lady Theodora…

M'éloignant d'un pas digne de la Fondation Witherspoon, je m'aperçus soudain que peu m'importait si le vénérable gardien dans sa guérite découvrait maintenant que j'étais sans souliers. Plus rien n'avait d'importance.

Peu après, je hélai un fiacre, me fis déposer non loin d'une station de métro et poursuivis en direction de l'East End, où je regagnai mon logis clopin-clopant, n'aspirant qu'à une chose : un vrai et long et voluptueux repos. En d'autres termes, me laisser aller et ne plus penser à rien, rien, rien.

Mais à la porte d'entrée, je me retrouvai nez à nez avec Mrs Tupper, qui me considéra de la tête aux pieds et laissa échapper un bêlement de brebis éplorée : « Miss Meshle ! Mais d'où vous v'nez donc ? »

La question était largement théorique, grâce au ciel, sa surdité rendant inutile toute réponse détaillée.

Cependant, la brave femme refusa de se contenter de mon geste évasif et se changea en mère poule. L'instant d'après, enfoncée dans son meilleur fauteuil, mes pieds en marmelade faisant trempette dans une bassine d'eau chaude, j'ingurgitais une bolée de soupe à l'orge et au foie de bœuf – roborative à défaut d'être exquise –, tout en me laissant bercer par sa véhémente commisération : « Du diab' si je sais comment vous faites pour vous fourrer dans des histoires pareilles, miss Meshle, j'aime mieux pas le savoir et ce n'est pas mes oignons, mais permettez que je démêle vos pauv' cheveux, un peu, et y va vous falloir d'la graisse à traire et des compresses sur ces pauv' pieds, je parie bien que vous êtes allée donner vos souliers à quèque miséreux, mais faut penser à vous, aussi, savez, sauf qu'y' a pas un cœur d'or comme le vôt' dans tout Londres, mais comment vous faites pour vous mett' dans des états pareils ça m' dépasse, mangez bien vot' soup' maint'nant, et y' a du pain perdu, aussi, au caramel, vous devez mourir de faim, et qu'est-ce que je vais faire de vous ? »

Mais elle le savait, que faire de moi. Et lorsque enfin elle me laissa articuler un merci muet depuis mon lit bien bordé, puis écouter la porte de ma chambre se refermer sur elle, son pas lourd faire craquer l'escalier et sa désolation à voix haute se poursuivre jusqu'au rez-de-chaussée, j'avais l'estomac bien lesté, ma carcasse délassée par un bon bain, mes pieds meurtris dûment enduits de baume à traire et mon âme meurtrie un peu apaisée, elle aussi, par un autre type de baume.

Pourtant, j'en avais eu gros sur le cœur, je l'avoue. Je m'étais sentie trahie. Quel besoin avait eu Sherlock d'informer notre aîné de l'endroit où me trouver ? D'un autre côté, ma réaction était un peu infantile, j'en convenais à présent, tout en m'abandonnant à une douce torpeur. Sherlock n'avait fait qu'accomplir son devoir tel qu'il le percevait. Et il ne m'avait rien promis de plus. Dans notre partie de cache-cache familial, Sherlock avait joué franc jeu.

Ah ! les frères… Au fond, Mycroft non plus n'avait rien fait qui ne fût dans le droit fil de son personnage. Lui aussi voulait mon bien, à son exécrable manière. Ce n'était pas sa faute s'il était ce qu'il était, pas plus que Mère n'était coupable de…

Mère. Oh ! Mère.

Me laisser materner par Mrs Tupper, fort bien, mais pendant ce temps-là, où était ma vraie mère ?

Machinalement, je récitai dans ma tête la devinette rimée que je lui avais adressée.

Narcisse n'avait que l'eau, faute d'en avoir un ;
Celui de Camomille était de verre et tain ;

Et voici la question qui tourmentait tant Lierre :
Quel était donc l'Iris qui se cachait derrière ?

Je n'avais toujours pas reçu de réponse, mais rien d'étonnant : il était encore bien tôt pour en espérer une. Quoique… peut-être aujourd'hui, dans la *Pall Mall Gazette* ?

Fermant les yeux, je me promis d'y jeter un coup d'œil après un petit somme.

Mais de toute manière, même lorsque j'aurais reçu ma réponse, serais-je plus avancée ? Je n'avais pas souvenir que Mère m'eût jamais massé les pieds avec du baume, ni posé des compresses, ni démêlé les cheveux…

Mes yeux se rouvrirent et contemplèrent le plafond nu ; quelque chose de tiède et d'humide roula sur ma tempe.

Compris. Pour dormir, c'était raté.

Avec un soupir agacé, je m'essuyai les yeux, sortis du lit, pris du papier, un crayon, mon écritoire, et me mis à dessiner.

Je croquai une orpheline, parce que je m'en sentais un peu une. Puis je dessinai lady Cecily en orpheline ; avec un père au cœur si dur, elle devait bien se sentir à demi orpheline, elle aussi. M'attachant à représenter ses traits expressifs, sa fragilité, son regard brillant, je songeai soudain à ces brefs instants où j'avais eu l'impression d'être proche d'elle. J'avais cru ne plus jamais la revoir, et cependant, je l'avais revue. Peut-être qu'un jour, dans quelques années, lorsque nous aurions mûri l'une et l'autre, il nous serait donné de nous retrouver, voire de dessiner ensemble ? En attendant, j'en étais certaine, Sherlock allait veiller à la remettre entre les mains de sa mère. Peut-être même étaient-ils déjà en route pour cette fameuse maison de campagne ?

Sherlock… Penser à lui me faisait un peu mal. À longs traits, affectueusement, je caricaturai sa silhouette de grand criquet et me sentis tout de suite mieux.

Au tour de Mycroft, maintenant. Et voilà. Il était très chic avec ce voile de mariée sur la tête, retombant sur son estomac rebondi. J'en souris malgré moi.

En quête d'une nouvelle occasion de sourire, je dessinai une jeune femme bien mise, coiffée de façon très élaborée – d'une perruque, à n'en pas douter –, avec ombrelle et maquillage léger. Moi-même, bien évidemment, et sous un éclairage flatteur, mais… mais ce n'était que l'une de mes apparences, et je m'empressai de me dessiner aussi en chiffonnière, puis en Ivy Meshle avec bijoux et bouclettes, et pour finir, en gamine des rues, chapeau cabossé sur la tête…

Mais je me lassais déjà. C'était Mère que je voulais dessiner.

Je pris une nouvelle feuille de papier, jetai deux ou trois coups de crayon. Rien à faire. J'avais beau me concentrer, ses traits se dérobaient à moi.

Alors, reprenant le contour du visage esquissé, je lui apportai d'autres traits.

Un regard direct, sans grâce particulière, mais pensif.

Un nez long, à l'arête marquée.

Un menton décidé.

Une grande bouche au sourire un peu énigmatique. Façon Mona Lisa, en moins doux.

Un visage anguleux qui n'était pas sans rappeler celui de mon frère Sherlock, mais qui était foncièrement… le mien ?

Je me sentis toute bête. Était-ce moi, vraiment ? Enola ?

Jusqu'alors, jamais je n'avais été capable de me représenter pour de bon. Qu'est-ce qui avait pu changer ?

Peut-être, me dis-je en ajoutant des ombres, peut-être était-ce là le secret de Mona Lisa, le secret de son sourire étrange : elle venait d'accepter quelque chose qu'elle avait toujours refusé jusqu'alors.

Car je savais à présent que je ne rechercherais plus Mère. Plus pour le moment, et peut-être plus jamais. Pas sans être certaine qu'elle-même le désirait.

En attendant, que ce jour vînt ou pas, j'étais toujours moi-même, Enola.

Ayant repris son emploi d'assistante du Dr Ragostin, Ivy Meshle trempe sa plume dans l'encre et, avec une satisfaction manifeste, rédige sur papier à en-tête une missive ainsi tournée :

Mon général,

Concernant l'affaire de votre souvenir de guerre porté manquant, à savoir un tibia signé du chirurgien ayant pratiqué l'amputation, le Dr Ragostin a l'honneur de vous informer qu'il l'a récupéré entre les mains d'un dénommé Paddy Murphy, cocher de fiacre de son état, lequel a reconnu être entré en sa possession par l'entremise de votre troisième chambrière, pour laquelle il avait frauduleusement feint un vif intérêt amoureux, dans le seul but de subtiliser l'objet susdit, afin de le montrer à ses confrères cochers moyennant finances. Si vous souhaitez poursuivre le ci-devant nommé Paddy Murphy, un constable pourra l'appréhender aux écuries de la Serpentine. Quoi qu'il en soit, votre tibia est désormais en sécurité au cabinet du Dr Ragostin, où vous pouvez l'envoyer chercher à votre convenance, contre remise des honoraires précédemment convenus. Le Dr Ragostin est enchanté d'avoir pu vous être de quelque utilité.

Veuillez trouver ici, mon général, l'expression de ses respects les plus sincères,

Pour le Dr Leslie T. Ragostin,
Miss Ivy Meshle, sous sa dictée.

« **M**on cher Mycroft, vous ici ? » s'écrie Sherlock Holmes, sincèrement surpris de trouver son
frère sur le pas de sa porte en rentrant chez lui. Il est
rare, en effet, de voir Mycroft s'écarter de son orbite
habituelle, entre son bureau de haut fonctionnaire,
son cher club Diogenes et son propre logis. « Entrez
donc prendre un cigare et un verre de xérès. Quel
bon vent vous amène ? Rien d'urgent, je l'espère ?

– Non, non, rien de plus qu'un vilain courant d'air
sous la porte de mon confort personnel », marmonne
Mycroft. Et il suit son frère à l'étage pour aller se car-
rer directement dans le fauteuil le mieux rembourré.

« Puis-je quelque chose pour vous ? s'informe son
cadet.

– J'en doute, puisque vous avez été assez ballot pour
la laisser filer.

– Ah, c'est donc ça. » Sherlock se détourne pour plonger ses longs doigts dans sa blague à tabac quelque peu insolite : une pantoufle persane. « Notre sœur. Cesserai-je un jour d'entendre parler de ce saut-de-loup ?

– Le jour où je cesserai d'entendre parler de ce voile de mariée. Comment va la jeune Cecily Alistair, incidemment ?

– Mieux. Beaucoup mieux, grâce aux bons soins de sa mère et de ses grands-parents maternels. Si j'ai bien compris, lady Theodora envisagerait de l'emmener à Vienne, afin d'y consulter un de ces aliénistes qui semblent avoir de bons résultats dans les pathologies du genre Jekyll et Hyde.

– Ah ? Ils songent à un dédoublement de personnalité ?

– Il semblerait. » Debout devant l'âtre, Sherlock bourre de tabac sa pipe favorite du moment, en écume de mer. Un peu de tabac lui échappe des doigts, mais fort peu.

« Ce qui est sûr, reprend Mycroft, c'est qu'un mariage forcé n'est sans doute pas le meilleur des remèdes. Il était moins une, heureusement que j'ai pu…

– Heureusement, façon de parler. » Sherlock se tait, le temps de gratter une allumette, puis de tirer sur sa pipe. Il n'opère devant l'âtre que par pure habitude ; il n'y a pas de feu à cette saison. « Enola et moi avions toute l'affaire bien en main, croyez-moi, et vous n'aviez pas à vous en mêler. Ne vous avais-je pas dit de rester à distance ?

– Mon cher frère, combien de fois devrai-je vous répéter que j'ai estimé de mon devoir de protéger Enola ? N'avez-vous pas le frisson à la pensée de notre sœur essayant d'échapper, seule, au vicomte Inglethorpe, au baron Merganser et à leurs redoutables épouses ? Non, je me devais de lui porter secours.

– Je doute qu'Enola soit d'avis que vous lui avez porté secours. »

Fumer sa pipe ne semble pas apaiser Sherlock. Il se met à arpenter la pièce, ses longues jambes le portant d'un bout à l'autre en quelques foulées.

« L'avis d'Enola importe peu en la matière, s'obstine Mycroft. Qui la protégera contre elle-même, si ce n'est nous ? L'autre jour, à cet orphelinat, je n'avais pas d'autre but. Et aujourd'hui, c'est ce qui m'amène.

– Aujourd'hui ? » Sherlock pose les yeux sur son aîné, comme pris d'une inquiétude mi-feinte, mi-réelle. « Qu'a-t-elle fait aujourd'hui ?

– Eh ! je n'en sais rien, moi, je n'ai pas de nouvelles fraîches. Simplement… » De sa poche de gilet,

Mycroft tire une coupure de journal et la tend à son cadet. « … voyez ceci.

– Ah », dit Sherlock, lui rendant le papier sans le lire, car il a déjà vu cette annonce plusieurs fois, dans la *Pall Mall Gazette* et ailleurs. Narcisse n'avait que l'eau, et ainsi de suite. »

Sous le fourré de ses sourcils, Mycroft l'observe intensément. « Dites-moi, Sherlock. Qu'y avait-il donc, derrière ce miroir ?

– Rien de particulier. De l'argent. Une coquette somme d'argent, en excellents billets de banque, que j'ai déposée sur un compte à son nom, pour le jour où elle en aura besoin. Pourquoi ? »

Pour toute réponse, Mycroft formule une nouvelle question : « Pensez-vous qu'elle ait pu placer cette annonce parce qu'elle a besoin d'argent ?

– J'en doute. Elle semble parfaitement à même de se payer un fiacre chaque fois que le cœur lui en dit. En ce qui concerne ce miroir et ce qui était caché derrière, je la crois tout simplement curieuse.

– Mais pourquoi tant de curiosité ?

– Et pourquoi pas ? La curiosité va de pair avec l'intellect, et l'intellect n'est pas ce qui manque dans notre famille.

– Intellect ? Chez une femme ? Vous plaisantez,

Sherlock. Non, non, c'est le cœur qui pousse notre jeune sœur à envoyer à notre mère une nouvelle missive fleurie. Que croyez-vous qu'elle attende de cette annonce ? »

Sourcils froncés, Sherlock considère son aîné sans répondre.

À vrai dire, Mycroft ne lui en laisse guère le temps : « Je le sais, moi, ce qu'elle attend. Et je propose que nous le lui donnions.

– Je ne vous suis plus.

– Sherlock, mon cher, c'est pourtant bien simple. Enola est vivement attachée à notre mère, laquelle l'a délaissée. Cette enfant brûle de recevoir d'elle une preuve d'affection. Voilà ce qu'elle espérait que vous auriez trouvé derrière le miroir : un petit mot tendre de sa maman. Et voilà ce que nous pouvons lui procurer. »

Plusieurs secondes s'écoulent. Sherlock tire sur sa pipe, considérant toujours son frère. Puis il laisse tomber, et c'est une affirmation, non une question : « Pour lui tendre un piège, voulez-vous dire.

– Naturellement ; que faire d'autre ? Pour la ramener dans le giron de la civilisation, pour lui fournir une éducation digne de ce nom, assurer son avenir…

– Si honorables que soient ces objectifs, mon cher

Mycroft, je ne crois pas que la tromper soit le moyen d'apprivoiser notre sœur. Non, je ne lui mentirai pas.

– Sherlock ! Vous ne voulez donc pas m'aider ? »
Un sursaut indigné dresse Mycroft sur ses pieds à l'instant même où son frère s'assied.

« Exact, reconnaît Sherlock. Je ne veux pas vous aider. Pas dans cette entreprise. » Il se penche vers son bureau et en tire un feuillet de papier, qu'il plie et replie, en quatre, en huit, en seize. « D'ailleurs, je vous ai devancé. Demain, dans les journaux, vous trouverez ma réponse à notre sœur. Vous en voici copie. »

Et il jette le billet plié à son frère.

Mycroft l'attrape au vol, le déplie et lit en silence :

À l'intention d'E. H. : l'iris était monétaire, et à présent planté en votre nom à la Shropshire Royal Bank. Navré de ne pouvoir vous satisfaire davantage. Notre amie commune C. A. vous remercie mille fois pour votre assistance, et je joins mes remerciements aux siens. Avec mes meilleurs sentiments, S.

Longtemps, Mycroft Holmes garde les yeux sur ce message, puis il les relève, impavide.

« Je vois, dit-il froidement. Il en sera donc ainsi.

– Il en sera ainsi », confirme Sherlock, affable.

TABLE DES MATIÈRES

Nancy Springer

Lorsque Nancy Springer était enfant, sa mère avait les œuvres complètes de sir Arthur Conan Doyle. Elle se souvient des innombrables lectures et relectures de ces dix volumes reliés d'un tissu brun, qui ne se terminèrent que lorsqu'il ne resta plus d'histoires de Sherlock Holmes qu'elle n'ait mémorisées.

Nancy Springer développa ainsi le désir de créer un personnage féminin fort, qui aurait les mêmes capacités à résoudre des énigmes passionnantes que le plus célèbre des détectives. C'est ainsi que naquit Enola Holmes, la sœur cadette de son héros favori. Le premier tome de cette série, *La Double Disparition*, a recueilli de nombreuses critiques enthousiastes.

Spécialiste du détournement de personnages, Nancy Springer est aussi l'auteur de romans racontant les exploits de Rowan Hood, qui n'est autre que… la fille de Robin des Bois ! Elle a également écrit deux romans inspirés de l'épopée du roi Arthur, sur le personnage de Morgan. Elle a obtenu deux fois le prix Edgar dans la catégorie Meilleur Roman policier pour jeune adulte.

Nancy Springer habite à East Berlin, en Pennsylvanie.

Retrouvez

LES
ENQUÊTES

en grand format

La double disparition *(existe aussi en poche)*
L'affaire Lady Alistair *(existe aussi en poche)*
Le mystère des pavots blancs *(existe aussi en poche)*
Le secret de l'éventail *(existe aussi en poche)*
L'énigme du message perdu *(existe aussi en poche)*
Métro Baker Street *(existe aussi en poche)*

Imprimé en France par EPAC Technologies
N° d'impression : 4550414335219
Dépôt légal : avril 2012